IZAK

P.F. Thomése

IZAK

2005

Uitgeverij Contact

Amsterdam/Antwerpen

© 2005 P.F. Thomése

Foto auteur Ronald Hoeben

Omslagontwerp en vormgeving binnenwerk Suzan Beijer

© Afbeelding omslag Gary Carsley, *D32b. Sane Guruji Park 1b*, 2005 Courtesy Torch Gallery

ISBN 90 254 2684 0

D/2005/0108/974

NUR 301

www.boekenwereld.com

Opgedragen
aan mijn zoon Frederik,
tjutju Maluku,
negeri Aboru,
pulau Haruku

De ontwikkeling van het gehoor is het belangrijkst.
Oefen je er bijtijds in toonsoort en toon te herkennen.
De klok, het vensterglas, de koekoek – zoek uit welke
tonen ze aangeven.

Robert Schumann, Musikalische Haus- und Lebensregeln

En Hij zeide: Strek uw hand niet uit naar de jongen,
en doe hem niets.

Genesis, 22:12

I

De jongen ligt op zijn buik onder de voorgalerij te luisteren naar de woedende regen. Het is net begonnen, alles barst van het bovenaards geweld, de donder rolt vloekend van de bergen. Dus op blinde voetjes om het huis heen naar achteren rennen, schuilen onder de scheefgezakte terrastafel bij de opslag, dat gaat niet meer. Het water is razend, het klatert, roffelt, het knalt bruut als boze goden uit de verduisterde hemel los. Vogels krijsen, takken kraken. Wie zich niet verbergt, wordt weggezwiept. Soedah, geduld toch jongen.

Nog even, dan hoort hij vanzelf de ordening. Misschien ja. Als hij maar goed genoeg luistert. Dan is het er opeens, de watermuziek zoals hij het in gedachte noemt: de regenklanken die met watervlugge vingers als tover uit het kabaal te voorschijn komen waaieren.

Maar niet altijd hoor. Je moet het eerst in je eigen hoofd aan horen komen, naderbij horen komen. Of hoe heet dat, wanneer je iets zo sterk verwacht dat het er al bijna is?

Hij weet zeker dat de muziek overal in verstopt zit. Alle dingen hebben hun toon, hun eigen klank. Aan de binnenkant van alles zit een geluid dat stilletjes wacht tot het eruit gehaald gaat worden. Luister maar: alles wat wordt aangeraakt, laat zich horen. Alles wat je hoort, is aangeraakt.

Opeens is hij bang dat de muziek er al is, dat alleen hij haar niet kan verstaan. Dat hij op de verkeerde klanken let, alleen de losse geluiden hoort, het kabaal dat de regen maakt.

Misschien luistert hij te ingespannen, moet hij proberen om níét te luisteren. Lekker niet opletten, jongen. Wachten tot de muziek hém gaat vinden, daar onder het huis.

De slagregens lijken ontketend, ze roffelen op het gebladerte, trommelen als gekken op het huis en op de bijgebouwen. De dakrand, huivend over de voorgalerij, is een waterval, het pad een kolkende bergbeek, een kali van lauwe modder. Geen dammetje of dingetje om het tegen te houden, af te voeren. Als hij niet oppast wordt ook hij straks weggespoeld.

Hij kan naar binnen gaan. Dat kan hij ja. Njonja heeft hem een sleutel gegeven, kom es hier jongen, ze heeft 'm gauw in zijn hand gestopt, niemand heeft 't kunnen zien. Het gebeurde op de ochtend dat ook de scholen dicht zijn gegaan. Zijn meester was al weggehaald, zeiden ze, in een grote vrachtauto geladen en hup weg, hij is toen het hele stuk hierheen gerend om te zien of njonja Alma er nog was. Het is een kleine sleutel, niet voor een huisdeur. Misschien voor een kast of een kist, voor een lade misschien of voor een luikje. Maar waar hij nou echt op past, dat heeft hij eerlijk gezegd vergeten te vragen. Hij was veel te trots dat njonja hem vertrouwde en haar eigen djongos niet. Maar pff! hij is een jongen van Ambon ja, hij is niet van hier.

Toch, naar binnen gaan durft hij niet. Zelfs niet om snel met twee vingers over de toetsen van de piano te trippelen. Steeds sneller, tot zijn vingers de toetsen niet meer bij kunnen houden.

Als njonja Alma terug is, gaat ze hem leren hoe het moet. Binnen, op de piano, liggen de grote, platte boeken waarin het geschreven staat: dichtbedrukte bladzijden vol onbegrijpelijke tekens, een geheimschrift dat steeds expres buiten de lijntjes gaat. Als je wilt spelen, moet je eerst zo'n boek opengeslagen op de klep zetten. Kijk, zegt njonja dan, terwijl haar handen vanzelf doorspelen. Dan hoor je wat hier staat. Met een hoofdknik wijst zij op het opengeslagen boek vóór haar. En hij maar kijken naar die zwarte tekens die als regendruppels van het blad druipen, en naar die losse vingers, feilloos schijnen ze te weten onder welke toetsen de juiste tonen zich verborgen houden. Maar hoe hij ook luistert en hoe hij ook kijkt, hij snapt er niks van.

En nu kan hij het niet meer vragen.

Hij lijkt wel een verstekeling, zoals hij zich onder de voorgalerij verschuilt. Alleen komt er niemand om hem te ontdekken, niemand die komt zeggen: 'Eindelijk, we hebben 'm!' Boven zich hoort hij geen enkel teken van leven: zeker niet het Hollandse-mevrouwengeluid van hakken op houten vloer, en zelfs niet het voorzichtige kraken van bediendenvoetjes. Hij ligt hier heel stilletjes, hij kan hier zo lang liggen als hij maar wil.

Met twee vingers, de twee langste, voelt hij in zijn broekzak of hij de sleutel nog heeft – zomaar, om het zeker te weten.

De vochtige ondergrond begint aan zijn huid te plakken. Hij rolt zich om, lenig als een aapje, keert zich op zijn rug en klopt de hele kriebel van takjes, blaadjes, beestjes van zijn buik, zijn bovenbenen. Ziet, zo liggend, boven zich de spleten tussen de planken van de waranda, net te smal om doorheen te kijken. Ritme van licht en donker. Daarna draait hij zich op zijn zij, ziet vanonder zijn beschutting de regen knetterend, spetterend opspringen – alsof zij terugschrikt van zichzelf, van het geweld dat zij in zich draagt.

)(

Hij wil niet meteen weggaan, niet zomaar nee. Hij denkt dat hij boven zich opeens stemmen hoort, voetstappen, gestommel op de achtergalerij, hij weet het niet zeker, het kan ook de regen zijn. Toch durft hij niet uit zijn kolong te voorschijn te kruipen, straks zijn er vreemden, gevaarlijk. Rampokkers misschien, zij zoeken in verlaten huizen naar weggeborgen geld. Weer, weer hoort hij iets. Ja, hij is bang dat er boven werkelijk indringers zijn. Hij zou ernaar toe moeten sluipen, onder het huis door, tussen de spleten van de planken naar boven gluren. Maar bang, hij is bang ja. Ook om daar stiekem, tjoeri-tjoeri, vanuit zijn kolong te gaan liggen koekeloeren. Want als hij ze ziet, bestaan ze echt.

Nooit oog in oog komen, weet hij, nooit je gezicht prijsgeven. Ze mogen jou niet weten, niet wie jij bent.

Hij wacht en wacht, hij knijpt zijn ogen toe om zich zo dieper in het onzichtbare te kunnen terugtrekken, om met zijn oren, misschien! te kunnen opvangen wat niet kan worden gezien. Maar nee, niks. De geluiden maken zich niet voldoende los om in mensen te veranderen. Het gevaar geeft zich niet bloot. Trekt het zich terug? Of heeft het zich ergens verderop verstopt?

Er is nu alleen het water dat tikketik-tík van de boombladeren drupt, van het grote schuine dak kletsj! in de plassen beneden valt.

Langzaam hoort hij de stilte weer uit haar schuilhoeken te voorschijn kruipen, ze vindt aarzelend haar weg tussen de laatste regendruppels door, vermijdt binnen in het huis de krakende vloerplanken, verspreidt zich zachtjes over de lege stoelen en tafels in de onbewoonde vertrekken en valt in slaap in het zachte stof dat over alle dingen en dingetjes is neergedaald.

Hij zou nu naar binnen moeten sluipen, met wakend oog, weten of moddervoeten op de tapijten hebben rondgestapt, vettige grijphanden aan kleppen, klinken, hebben gemorreld.

Maar hij durft niet, want hoe goed hij ook luistert, hij kan niet horen dat er níémand is. Er kan zich, ook in de diepste stilte, juist in de diepste stilte, iemand verborgen houden, die kan dan, als hij voorzichtig! de deur opendoet, met een blikkerende klewang tjak-tjak op hem springen.

Beter teruggaan naar de kampong nu. Beter van niks weten nog.

)(

Alles is anders, nu het oorlog is. Je moet goed nadenken hoor, anders kom je niet thuis. Bijna is hij al naar de tangsi gelopen, de garnizoenskazerne – gewoontegetrouw wou hij weer die kant op. Omdat in zijn hóófd alles hetzelfde is gebleven. Als hij eraan denkt, is iedereen nog daar, alle militaire gezinnen, in de barak staan alle iboes in gelid te koken, een leger van gebatikte mama's gewapend met stoompan en wadjan, tjobèk en oelekan. Het is echt lastig om niet daarheen te gaan. Niet rechtdoor maar linksaf is raar hoor.

Hij heeft de hele tijd het gevoel dat hij verkeerd loopt. Terechtkomt tussen de verkeerde mensen. De vaders dragen geen uniform, hun baadjes hangen uit hun broek, hun tenen steken uit hun schoenen. Het zijn hier in de kampong allemaal dobbelaars, leugenaars en kliederaars, zegt zijn moeder. Hij kent er niemand.

In de witte gebouwen van de tangsi, boven in de stad, oefent nu het Keizerlijke Leger van Djepang, ze oefenen de hele dag! Ze proberen het echte leger van bapa na te doen, net nu hij weg is ja. Zou hij dat weten? Kan bapa ook van orang-orang Djepang de gedachten lezen? Het is verboden om bij het exercitieveld te staan kijken, als je kijkt word je pang! geschoten als een rijstvogeltje.

Hij is bang dat er onderweg een gek van de Kenpeitai met een woeste schreeuw uit de bosjes te voorschijn springt, zij zijn bevoegd om zonder reden iemand zijn koppie af te tjakken. Het slagzwaard hangt zwaar aan een brede riem die om het middel is gegord. Ze moeten beide handen gebruiken om het los te trekken en op te kunnen heffen. Zeggen ze. Met één houw ligt het koppie ernaast.

Zonder dat hij het heeft gemerkt neuriet hij ineens een deuntje dat hij nog van vroeger kent. Het is er vanzelf, het kwam voordat hij eraan kon denken. Een liedje uit Ambon is het, bapa zingt het altijd als het donker is, als hij al ligt te slapen, ja te doen alsof. Izak weet de woorden van het liedje niet precies, hij humt maar wat klanken. Bapa zegt: het gaat over het holle gevoel in je maag, nee niet als je honger hebt, maar als je iets heel erg mist. Je kunt soms iets zo erg missen, zegt bapa, je weet dan niet eens meer wat het is, zo erg ben je het kwijt!

Onder de halvemaanspoort loopt hij de kampong in, hij moet aan het einde zijn, ze wonen daar in een pondok, een rieten hutje, meer is 't niet. Nee, hier geen lanen met Europese namen, de weg naar hun nieuwe verblijf bestaat uit paadjes en achterommetjes die niemand weet te noemen. Je moet hier nog uitkijken, tussen die schuurtjes van gedek en die schuttingen van bilik, het ziet er hier allemaal hetzelfde uit, voor je 't weet loop je bij vreemde mensen binnen en ga je daar op de grond zitten, gekruiste benen, handjes in de schoot.

Nu het geregend heeft, is het nog moeilijker om verschil te zien. Ook in zijn hoofd trouwens. Alsof de regen ook in zijn hoofd de nieuwe terugweg heeft uitgewist. Alles is van blubber geworden. Op de smalle modderpaadjes hier moet hij voorzichtig lopen hoor, je glibbert er zo weg.

Overal is 't druk, kampongdruk, achter alle schuttingen hoort hij gedoe van mensen. Nergens kun je hier weg, nergens is hier een plek om je te verstoppen.

Het liedje is nog altijd in zijn hoofd, in zijn mond. Eigenlijk moet het met gitaar gedaan worden, met snaren die zachtjes nazingen wat in het lied zonet al is gezegd. Alleen heeft hij geen gitaar, dus doet hij die er zelf maar bij met langgerekte wèh-èng's en wow-waw's, dat is beter dan niks.

Hij voelt het lege plekje in zijn maag, precies als in het liedje. Bapa zegt: dat plekje heet Ambon, het is goed dat je het voelt, dan weet je dat het er nog is.

Izak komt zelf niet van daar. Hij is gewoon hier geboren, in de tangsi. Maar dat maakt volgens bapa niks uit. Hij is niet van hier, zeker niet. Hij is anak maloekoe. Punt uit. Grote jongens in de kampong schelden hem uit voor anak kolong, kazernekind. Het deert hem niet, Javanen pèh! zij weten niet beter. En trouwens, hij is liever van boven dan van hier, van de kampong.

Telkens als hij kans ziet, gaat hij naar de bovenstad, dwaalt hij door de lanen, in de schaduw van de hoge, koele kenaribomen, denkend aan de dag dat hij in het mooie huis van njonja Alma piano zal zitten spelen.

Ver ver weg, neuriet hij, ver ver ver van huis. Wèh-èng, wow-waw.

Het liedje helpt hem, het leidt hem ongemerkt langs vieze

weggetjes, hij hoeft niet op te letten, hij zal straks zijn waar hij moet zijn, hij hoeft het liedje maar te volgen, verder niks.

❍

Waar hij ook gaat, er zijn altijd ogen, oren. Zijn vader kan zelfs gedachten lezen, hij kan ook horen wat de dieren zeggen, dat kan verder niemand, maar bapa is nu weg. Met de oorlog meegegaan, in zijn mooie KNIL-uniform. De beenwindsels jongen, hoe nauwkeurig zijn vader die om zijn kuiten legt, geen stukje been blijft bloot. De veters strak getrokken, de baret precies een tikkeltje scheef, het lange schietgeweer op de rug en ingerukt mars! De bergen in. Stoer jongen! Hij weet het niet, zou bapa hem daarginds in het donker van de bergen stilletjes zitten te lezen?

Er zijn hier ook ogen genoeg hoor, alles kijkt. Beo's, tokèhs, rijstvogeltjes: vanuit alle bomen wordt hij waargenomen en onthouden. Het tipt mekaar, het vertelt 't voort, hoor maar hoe het krijst, slist, fluistert, ritselt.

Hij probeert uit alle macht geheim te blijven. Zichtbaar, maar ongezien. Hij is er, maar ffft! als hij weg is, is hij er nooit geweest. Als regen die ophoudt, als muziek die verdwijnt zodra zij bestaat, zo van onder de vingers vandaan en foetsie.

Niemand kan hem iets maken. Wie ze zien, is niet wie hij werkelijk is. In de duizend ogen overal is hij een jochie dat voorbijkomt, blootsvoets, zijn bruine huid grijs van de moddervegen, nee niet van hier. Niemand weet van de eed die tussen hem en njonja is gezworen, waar de piano in haar grote blanke huis het bewijs van is.

Dus als hij hier in de kampong gaat, tussen de pondoks van bilik en bamboe, zien ze hem ja, maar zien ze hem niet.

)(

Soms vermoedt hij dat zijn moeder zijn moeder niet is. En zijn broers, zijn zussen? pèh, die zijn zo anders toch, nee helemaal niet als hij. Hij wil alleen van bapa zijn, maar bapa is er niet. Beter kan hij bij njonja wonen, zij heeft kamers genoeg, hij kan haar helpen met de piano, hij kan zorgen dat de zwarte lak glimt als een spiegeltje. Maar zij is er ook niet, ze hebben haar weggehaald. Wat moet hij nu? Hij wil naar njonja, hij wil zijn njonja terug.

Hij gaat zo langzaam lopen als hij kan, telt zijn passen, telkens kleinere, voetje hier voetje daar. Tot hij met zijn ene hiel op zijn andere tenen stapt.

Hoort hij ze in de pondok kibbelen? Nee toch zeker, ja hoor. Net een kooi vol slachtkippen op de pasar. Hun schelle stemmen hoog opgekropt in de keel. En maar happen naar nieuwe lucht, en maar steeds hetzelfde zeggen.

Hij hoopt dat njonja hem kan zien, waar zij ook is. Njonja moet niet vergeten om uit de oorlog terug te komen, nee dat moet zij niet vergeten.

Achter de schuttingen ruikt hij de geur van gekookte nasi poetih, terasi, sereh. Bij hun thuis in de pondok staan ze al te dringen om de wadjan. Altijd dringen zij. Als hij niet oplet, vindt hij 's avonds niet eens een plekje om zijn tikar uit te rollen, kan hij nergens slapen, jongen! En als hij dat zegt, gaan ze weer allemaal steeds hoger, steeds harder praten, tók-tok-tok, over elkaar heen, boven elkaar uit.

Als ze zo door blijven gaan, zal hij in het huis van njonja slapen, zeker wel. Hij heeft de sleutel toch?

Ja hoor, hij komt binnen, iedereen zit ruzie te maken, en dan wordt hij uitgescholden, hij ja. Zijn moeder schreeuwt: waar is het? Jij ging het brengen. Nakal, rekel! Jouw vader moest thuis zijn, hij gaat jou rossen met de riem! Wat moet hij brengen, waar heeft ze het over? Ze schudt haar hoofd. Jongen, jij bent mijn dood, waar heb ik jou aan verdiend?

Hij kijkt naar de grond, wacht tot ze eindelijk klaar is met haar lesje.

Zijn gedachten weven een onzichtbare wand om hem heen zodat hij niets meer kan horen. Hij zit heel stil binnenin en niemand kan bij hem komen. Alsof hij onder water is, naar de bodem zinkt. Hij kan niet zwemmen, maar dat geeft niet. Hij knijpt zijn neus, zijn ogen dicht, het water drukt aan alle kanten, drukt zijn oren dicht, de lucht is binnenin, hij moet het bewaren, het is maar een beetje, hij moet het ermee doen. Hij blijft op de bodem zolang hij kan.

Als hij weer boven komt, zal alles anders zijn.

𝕏

Njonja heeft gezegd: mijn man is helaas een dode geworden, als jij later groot bent, ga je met me trouwen, toch? Izak weet niet, hij moet denken. Heb jij een ander dan, heb jij een meisje, ja jij hebt al een meisje. Nee, dat bedoelt hij niet, hij bedoelt: hij weet niet hoe het is om groot te zijn. Wordt hij later blank dan? een blanke toean in een licht linnen pak? en een kale kop en in zijn hand een panama die hij voor zijn plasser houdt. Hij kent de bruine foto van de dode man van njonja, het ovale lijstje staat op de piano. De dode man lacht niet, hij is niet blij dat hij dood is. Of word ik later als bapa? nee dat nooit! Hij wil niet met iboe trouwen, altijd straf, altijd ruzie! Hij wil bij njonja zijn, zij weet wie hij is, zij gaat hem onderwijzen. Njonja heeft gezegd: ik ga jou leren.

Als hij de man van njonja is, mag hij bij haar wonen. Als hij later een blanke is ja! Anders niet. Maar misschien mag hij dan haar vriend zijn. Is hij van njonja nu al een beetje de vriend, een heel klein beetje?

Eerst moet hij piano leren spelen, met alle tien de vingers, dat heeft njonja gezegd, een man die de juiste toetsen niet weet te raken, zo'n man wenst zij niet. Njonja kan aan de handen zien of iemand piano kan spelen of niet, zij ziet het aan de vingerzetting, zegt ze. Ze pakt Izaks hand, ze voelt de vingers, kneedt de kootjes, ze zegt: dit zijn pianohanden, ik zweer het, zowaar ik hier sta.

Njonja ziet het voor zich, zegt ze, hij achter de piano, spelend voor zalen vol stille Hollanders, hij op de boot naar Semarang, naar Batavia, naar Rotterdam! Ze zegt de namen van onbekende steden, ze zingt ze een beetje, alsof het liedjes zijn die ze van vroeger kent. Maar eerst moet hij met haar trouwen, zegt ze, je denkt toch niet dat ik je zo laat gaan? Straks wil je me niet meer kennen, zo zijn mannen nu eenmaal, vertel mij wat. Izak denkt: ik ben nog klein, ik kan niet, ik ben nog niet blank genoeg, ziet ze dat niet? Hij wil het niet zeggen, hij wil haar niet beledigen. Verloven dan? probeert njonja. Plaagt zij hem? Hij weet niet wat het is, verloven. Zal hij schudden? zal hij knikken? of zal hij niks? Goed, zegt njonja, mooi zo, dan zijn wij nu verloofd! Ze lacht haar hemelsblauwe ogen helemaal open, haar gelaat is zo helder als lucht. Ik ben verloofd met een mooie bruine jongen, wie had dat ooit gedacht! Niemand vertellen hè?

X

De volgende dag, hij terug naar de Europese wijk. Snel, snel. Alleen het laatste stukje, over de toegangslaan, loopt hij voorzichtig. Hij vermoedt al iets, zijn blote voeten zoeken met tastende tenen de zachte plekjes bosgrond tussen de woeker van kruipslierten.

Kasihan! De grote deur aan de galerij is ingetrapt, ja hoor. Het gevaarte ligt als een steiger de voorkamer in, een bruggenhoofd. Daar staat hij dan. Hij hoeft niet meer correct te zijn nu, zoveel vernield, en toch durft hij niet zomaar binnen te gaan. De geesten van de rampokkers zijn als panters in de schaduwen van het woud, zij loeren op hem.

De piano, denkt hij en in zijn hoofd sluimert een zacht glanzen van gitzwarte politoer. Hij wil niet kijken, hij wil niet weten. Als het waar is, wat zal hij njonja zeggen? Hij heeft haar beloofd, hij heeft haar gezworen, tjonge tjonge wat een tjelaka toch.

Verbaasd staat hij te wiebelen op de ingetrapte deur, verbaasd dat hij vandaag zomaar mag binnenlopen. Hij denkt aan de middagen waarop hier werd gemusiceerd. Al die hoge heren en hun deftige dames, hij heeft ze hier zo vaak gezien, hij met zijn neus tegen de ruit om niks te hoeven missen. Elk moment kan het weer bestaan, hij *voelt* het: de njonja's en toeans zittend, staand, losjes leunend, met hun maniertjes om dat zo en niet anders te doen, gevangen in de muziek die zich tinkelend, klaterend, vliegensvlug vermenigvuldigt tot zij alles, iedereen heeft opgeslokt. Ja, zo is het ja, en verderop in het vertrek, verborgen achter de piano, zit njonja Alma, zij sluit haar ogen en trekt zich terug in haar droom. Zij hoeft niet meer te kijken, haar lenige vingers weten precies onder welke toetsen zij de muziek gaan vinden.

Hij schrikt als hij op de galerij echt mensen hoort, twee mannenstemmen. Hij wil wegduiken, maar daar staat er al eentje voor z'n neus, een oude Javaan die hij niet kent. Wat doe jij hier? En voordat hij kan antwoorden is er nóg zo'n oude baas voor zijn neus komen staan. Apa kau kelola disini? vragen zij streng, wat moet jij hier?

Denken die oudjes dat hij...? Het zijn misschien djongosdjongos uit de huishouding van njonja. Nou en? Waarom zouden zij meer rechten hebben dan hij? Hij wil hun zeggen dat hij de sleutel van njonja –, maar hij verslikt zich bijtijds.

De oude Javanen zeggen hem: zij moeten voorzichtig zijn. Onbekenden zijn hier geweest, zeggen zij, nee geen rampokkers, zij hebben een papier van het Japanse leger, zij hebben de piano van njonja in een houten kist gespijkerd, op een legertruck geladen. En weg hoor!

Het suist in zijn hoofd, hij voelt het vallen al in zijn knieën, dat bodemloze tuimelen wanneer de wegroetsjende geest in het lichaam nergens meer aanklamping vindt.

Hij mag zich niet laten gaan, zeker niet nu, het is zijn plicht om het vertrouwen te bewaren, haar waardig te zijn nu zij weg is. Als er iets is wat voor hem telt, is het dit. Niet iedereen krijgt de sleutel van njonja Alma, toch? Hij wel, hij als enige.

✳

Dan gaat hij. Hij heeft zijn moeder niets gezegd, het is beter dat ze van niets weet, hoeft ze zich ook geen zorgen te maken. Geen soesah asjeblief iboe, ik kom heus wel weer terug hoor. Hij denkt: als ik daar ben, daar ver weg, dan kom ik njonja tegen. Als ik straks weg ben, ben ik dus niet ver, maar juist dichtbij. Hoe verder ik ga, hoe dichterbij ik ben. En als ik verdwaal in de bergen, dan is bapa daar, verstopt in het donker, en die komt mij redden.

De brede weg verdwijnt en verdwijnt om de bocht. Het blijft steeds hetzelfde, hij moet alsmaar verder, verder die kant op.

Hij loopt aan de rand, in het platgetrapte gras, onder de stoffige klapperbomen.

Heen en terug Japanse officieren in grommende, blaffende auto's, ze worden opgehouden door slome ossenwagens uit de desa's en betjaks die, nu de vaart eruit is, vloekend en spugend heuvel op geduwd moeten worden, motorfietsen hoesten vuile wolken en spuiten dan hoing! hoing! vol gas tussen het getreuzel door.

De jongen voelt de geluiden door zich heen trillen. Kijkt zijn ogen uit. Alles ziet hij, neemt hij in zich op, hij zwelt ervan, wordt groter en groter, groter en voller dan alles om hem heen. Maar als hij uitademt, blaast hij alles in één keer weer weg, wordt hij kleiner en kleiner, zo klein dat niemand hem nog opmerkt, hier in de drukte van een dag die maar net begonnen is. Hij telt zijn stappen, hij zingt zijn stappen, soms twee, soms drie, soms vier bij elkaar. Hij houdt al lopend zijn hoofd in zijn nek en laat het zonlicht door de palmbladen heen over zijn gezicht ribbelen. Door zijn oogleden heen het roze, de bladerdunne adertjes als de schitterende zon probeert om dwars door zijn huid heen naar binnen te stralen. Alsof hij geen buitenkant heeft en ook de wereld geen buitenkant heeft, hij en zij ongemerkt in elkaar overlopen.

Langs de kant van de weg staan de waroengs van de etenswarenverkopers. Selamat makan, toean. Hij voelt de lauwe munten in het donker van zijn broekzak, maar durft niet bij zo'n stalletje te blijven koekeloeren naar al dat lekkers, uit te rekenen hoeveel hij van dit kan kopen en van dat, hoeveel hij

overhoudt voor de dagen die nu nog niet bestaan.

Hij denkt aan het eten thuis, plotseling denkt hij aan thuis, hoe het eten hem mist als het in de stille middag vergeefs op hem wacht. In hem opent zich het bodemloos diepe waarin gevallen moet worden, het bange klampt zich in hem vast, zanikt in zijn darmen.

Voor het eerst vertrouwt hij zichzelf niet, net nu hij op weg gaat naar het oorlogsgebied, waar in het ondoordringbare groen messen blikkeren als bamboeblaadjes, loerende ogen glanzen als waterdruppels, waar in de donkere hoekjes de stilte zijn adem inhoudt als een ontsnapte killer die zich verscholen heeft.

Bang ook, ja dat is hij ook, om de opdracht die njonja hem gegeven heeft. Maar dan toch weer trots. Zij heeft zijn handen vastgepakt, weetjewel, ze zegt: dit zijn pianohanden, zowaar ik hier sta.

Eindelijk kan hij haar tonen dat hij haar vertrouwen waard is, de eed inlossen.

De oude mannetjes hebben hem niet veel verder kunnen helpen. Gelukkig ziet hij de piano precies voor zich, alsof die hier voor zijn neus staat. Hij weet elke lijn, nerf, buts, kras, hij kent de toetsen als zijn eigen vingers. Nee, daar maakt hij zich geen zorgen over, hij gaat de piano zeker terugzien.

Hij kent niets meer hier. De bosgrond voelt hetzelfde, maar anders. De bomen, hun stammen, hun bladeren: hetzelfde, maar toch anders. Zelfs de krekels klinken hier niet langer vertrouwd, ze slijpen hun messen in zijn suizende oren. Toch gaat hij voort of hij alles nog kent, hij doet gewoon of hij weet waar hij heen gaat. Voetjes op de grond, handjes in de zakken. Als hij zijn vingers uitstrekt, voelt hij het zand in de naden, het kruipt meteen onder zijn nagels.

De weg stijgt en stijgt, hij dus ook. Hij loopt onder een dak van bladeren, waar de zon doorheen dwarrelt.

Dan staat hij boven, alles is hier van lucht, zijn ogen zwemmen in het blauw. Zo ver, zo hoog man. Ergens onder hem slingert de weg de diepte in, klein en onbeduidend, totaal willekeurig ineens. Van hier kan hij zo ver kijken dat hij het einde niet ziet. Blauw wordt het glooiende land in de verte, hij kan niet goed zien of het nog gewoon bergen zijn of al lucht.

Vlakbij begint een vogel te zingen, scherp als een fluitje. Hij houdt zijn lippen stijf op elkaar om ernaar te luisteren. Maar de vogel houdt zich nu ook stil. De jongen kan het landschap horen ademen, de heuvels als slapende ruggen. Hij voelt het zachtjes op en neer gaan als zijn eigen borstkas. Als hij zijn ogen sluit, is hij weer thuis, ligt hij ineengekruld op zijn tikar te soezen, zijn handen als een kussentje gevouwen onder zijn wang. De geluiden gaan steeds verder weg, ze trekken zich stilletjes terug. Waar hij slaapt, gaat alles slapen om hem heen, gehoorzaam en gezeglijk.

Hij staat aan de rand van het dromende landschap. Zo ver als hij kan kijken is het nu stil. Hier weten de dingen nergens van. Beter om het diepe, verre land niet te storen. Het is een grote behaarde man die op zijn buik ligt. Als die opstaat, kasihan! liever niet. Dan donderen alle bomen en bergen over hem heen. Laat het maar, boediman, laat het maar dromen.

Alles wat hij aanraakt, wordt zacht als zijn eigen huid. Het lange gras waar hij in gaat liggen, vleit zich tot een mandje waar hij precies in past. Klein als een beestje ligt hij daar in het groen, ver onder de verblindend lichte hemel, onder het bladerdak van de hoge bomen, hij ligt helemaal onderin, op de bodem van het bos. Hij ruikt, vlak onder het gras, het zoete bederf van molm en rot, de rulle zwarte aarde die van dooie, vies geworden planten is gemaakt en waar het kriebelgedierte schuilt.

𝍅

In de verte droomt hij zich de klanken van een gamelan, doorzichtig als lucht, ijl als de wind die ze zachtjes met zich meeneemt. Zelf wordt hij ook licht: een blaadje in de wind, een blaadje slaap dat landt op het water van de kali en wegdrijft.

De blikkerende gongetjes, de natrillende snaren in de hemelsblauwe middag, het is alsof een zuchtje wind er ademzacht doorheen speelt. Elke toon een breekbaar ding dat wankelt op de rand, vooroverhelt en wegtuimelt in een bodemloze val. Het zijn klanken die het luisteren leeg laten. Om te kunnen horen wat je *niet* hoort.

Stiller en stiller wordt het tussen de tonen, hij hoort ze nog, ja toch? maar bijna al niet meer, heel heel ver is er af en toe nog geluid, maar hij weet al niet meer zeker of hij het wel werkelijk hoort, zo weids en onbegaanbaar valt de slaap om hem heen.

II

Als hij wakker wordt, staan de muzikanten groot en donker rondom, hem verpletterend onder hun zware schaduwen. Ze plukken peinzend aan hun snaren, tingelen afwezig met hun rinkeldingen. Hij denkt nog dat hij droomt, hij wil het denken! Gauw probeert hij te doen of hij nog aan het slapen is. Tidoer, jongen! Tussen zijn wimpers door loert hij naar de vreemde gestalten, zij buigen zich over hem heen, alsof hij een ding is dat zij willen kopen, ruilen.

Dan gaan zij hem vragen: jij, kleine jongen, jij zo alleen, waar is jouw bapak, jouw iboe? Hij wordt bang dat ze hem misschien terugsturen. Hij zegt: bapak hier in de bergen, bapak met de soldaten naar de oorlog gemarcheerd.

Om groter over te komen kruipt hij overeind, maar de mannen stappen niet achteruit; hij zakt daarom terug in hurkzit, gevangen in een traliekooi van benen. Boven zijn hoofd wordt over hem gesproken; de een zegt oorlog, perang zegt hij; een ander zegt vader, bapak zegt hij; een derde zegt bergen, pergoenoengan zegt hij; anak zegt iemand, jochie. Waarheen? wordt gevraagd, ke mana? maar niet aan hem.

Kleiner en kleiner wordt hij, een aapje, een muisje, een torretje, een mier, tot hij onzichtbaar wordt. Verstopt in een holletje dat niemand weet.

In het donker van zijn hoofd zien zijn gedachten het exercitieveld waar zijn vader elke dag moest stampen met zijn voeten. Alle soldaten op een rij, en dan, als de sergeant schreeuwt, gaan ze allemaal het gras platstampen. Menèndang kàki, menèndang kàki. Zo hard ze kunnen! Toch verschuift er niks aan hun uniform. Geen plooitje, geen vouwtje, niks. De baret plat op het hoofd. Het kaki overhemd kreukloos in de broek. Strak de beenwindselen. Glimmend de schoenen. Heel ver weg, aan de andere kant van het veld, maar heel duidelijk, schittert een trompet in de zon, schettert zijn spetterende klanken in 't rond, een haan van goud in een hemelsblauwe ochtend. Hij wil elke keer dat de soldaten gaan zingen, maar dat doen ze nooit. Ze klossen met hun zware schoenen, ze drummen hun deun, zo zwaar, zo hard, de grond trilt ervan.

De muzikanten roken knettersigaretten, ze zitten in een halve kring om hem heen, pletten het lange gras, hun ontzagwekkend grote houtbruine tenen krullen in hun sandalen, de grote toeans in hun eentje omhoog, de kleinere djongos-djongos op een rijtje omlaag. Ze zijn zo groot, die tenen, en met zoveel dat ze hem zouden kunnen pakken. De mannen zelf letten er niet op, alsof ze er niks mee te maken hebben, met dat tenenleger. Ze praten door elkaar heen, zodat niemand het kan verstaan, en beginnen telkens allemaal tegelijk hard te lachen. Ze blaffen, ja toch? In hun blaffen, daarin lachen oude honden mee, hij hoort ze tekeergaan. En maar aan de sigaretten zuigen, met samengeknepen ogen en ingeklapte wangen van het harde trekken; de kruidnagelen knetteren als vuurwerk, hij ruikt de zoete smook die zij vergeten in te slikken.

Achter hen, in het gras, liggen de onbekende instrumenten. Maar mooi! Hij zou ze stuk voor stuk willen aanraken, onderzoeken, om de levende geluiden te vinden in dat dood materiaal: gebutst blik, tin, koper, opgespannen varkensvel, uitgehold nangkabomenhout, fijngeslepen bamboestammetjes. Hij wil erop slaan, blazen, tokkelen, hij wil strijken, drummen, tingelen. Ja, als de muzikanten er niet bij zouden zijn, had hij het gedaan, betoel! dan was hij net zolang op de instrumenten tekeergegaan totdat hij wist hoe het moest, zijn handen vanzelf in de muziek zouden vallen.

De mannen vragen hoe bapak heet, ze vissen naar zijn rang, raden naar zijn regiment. Hij weet niet of hij het mag vertellen, hij zegt: dat is geheim, bapak is zonder bericht de bergen in gegaan, niemand mag weten wat hij daar doet. Zij blijven vragen, heet hij zus of heet hij zo? is hij groot of is hij klein? een klein zwart snorretje toch? of niet? Ja, we hebben hem gezien, misschien, gisteren, nee vorig jaar of toch gisteren.

Dat kan niet, moeten ze weten, hij wil niet naar bapak toe. Ze mogen hem niet terugsturen, hij moet naar njonja, wil hij zeggen, hij moet de piano terugvinden. Maar de woorden, ze vliegen zijn mond niet uit, ze blijven zwaar! dik! op zijn tong liggen.

Er is eten, opeens. Hij ruikt het voor hij het ziet. Er worden lempers en lontong rondgedeeld. Iemand wijst, telt de pakjes, neemt bij de een iets weg, geeft toch terug. *En voor mij dan?* denkt zijn mond. *Krijg ik niks?* Selamat makan, smikkelen ze, selamat makan, smakken ze. Jaja, maar zien ze dan niet dat hij óók honger heeft? Lapar peroet koe, roept zijn slokdarm, knort zijn maagje, honger heb ik, door zijn velletje heen, door zijn bezwete baadje heen naar buiten. Horen ze het niet? Hij luistert afgunstig naar het grommen waarmee ze toehappen, hij hoort hun klakkende tongen, het op elkaar klappen van tanden; stil worden ze ervan, van hun eigen eten, ze vergeten zelfs hun sigaretten, die zonder een vonkje liggen weg te smeulen tussen hun bruine vingers.

Ja, ze horen zijn buikje, ja nu pas merken ze dat hij is overgeslagen. De jongen, zeggen ze, adoeh! we hebben niet aan de jongen gedacht. En op datzelfde moment heeft hij meer eten dan zijn handen kunnen pakken, de lemper, de lontong, de ketimoes, het ligt om hem heen, hij zit er middenin. Dank u wel, terima kasih allemaal! Hij gaat het lekker oppeuzelen, zegt hij beleefd.

Maar wel snel een beetje, zeggen de mannen.

Iemand staat al op, kiest in het gras onder de kenariboom een instrument, het blikkert van de metalen plaatjes. De man weegt het in zijn handen, hangt het op zijn rug. Izak peuzelt als een bezetene. Ook de anderen gaan opstaan. Hij blijft zitten, pulkt met zijn vingers de ketimoes leeg, hij propt er twee blokken lontong bij. Is hij nog niet klaar? zie je ze denken. Jawel, wil hij zeggen, ik heb 't al op hoor. Maar zijn mond is te vol om te praten.

Iedereen pakt een instrument uit het gras. Behalve hij, met zijn vieze vette eetvingers, hij heeft niks om mee te nemen. Ja, de piano van njonja, natuurlijk! dat is zijn instrument. Dus zegt hij: ik ben mijn piano kwijt.

De mannen kijken hem aan, meten hem met hun ogen, of hij wel groot genoeg is, kan hij wel bij de toetsen, denken ze. Ze kijken alleen naar elkaar, er wordt iets gezegd, en nog iets en nog iets, en vervolgens beginnen ze weer allemaal door elkaar te praten, onverstaanbaar en zo hard als ze kunnen. Gek, er is één woord dat telkens uit het palaver kan ontsnappen. Keer op keer springt het op uit de abracadabra, helder, licht, als een blinkende vis springt het op uit het donkere water. Piano. Pí-íng, in het drukke gepraat, kli-ing!! Het pianowoord zingt zachtjes na, een snaar die zingt, maar het lied verder niet kent.

Hij weet niet of hij mee mag of mee moet. Hoe dan ook, hij gáát mee. Ze laten hem geen muziekinstrument dragen, nee dat niet, hij krijgt een vettige zak toebedeeld, aan een stok ja, anders maakt hij zijn handen vies. Hij wil vragen, zit er eten in die zak? Maar de mannen lopen al, het zijn lichtomrande silhouetten geworden, hij moet zijn best doen om ze bij te houden.

Ze lopen bovenlangs, langs de rand van een bos, in de schaduw dus. Als hij niet oppast, glijdt het pad onder z'n voeten weg. Losschietende steentjes tuimelen, stuiteren, met steeds wijdere sprongen, de steile, rotsige helling af, teka teki het onzichtbare in.

Beneden in de vallei ziet hij karbouwen grazen. Nog verder weg een kleine desa; de gele rieten daken net weggewaaide hoedjes, achtergebleven in het veld. Ze komen hem vertrouwd voor, die rieten hoedjes. De boeren die hij kent van thuis, van de sawahs onderlangs de kali, hebben op hun hoofd precies dezelfde.

Maar hij kan niet goed in de verte kijken, het zonlicht is zo wit, het veegt alles weer uit.

Op de ruggen, schouders voor hem deinen de onbegrijpelijke muziekinstrumenten, het is brons, tin, hout. Hij kent de namen niet, de klanken niet, hij ziet alleen indrukwekkende, onnavolgbare vormen, geheimzinnige aanwijzingen, bestemd voor ingewijden. Af en toe, als iemand bijna uitglijdt, rinkelen er gongetjes; hij weet trouwens niet zeker of hij ze hoort, hij weet ook niet of er iemand bijna is uitgegleden.

De mannen lopen voort, zij weten welke kant ze op moeten. Hij weet het niet, hij loopt en loopt maar achter hen aan. Geen van hen kijkt om, ze zijn hem misschien al vergeten. Hij zou kunnen weglopen, met de meegegeven zak op zijn rug. Maar hij weet niet waar hij heen moet, dus gaat hij door, achter hen aan.

Voorzichtig, met twee vingers maar, voelt hij in de zak. Hij denkt aan een dikke pisang goreng, aan een lemper, zijn vingers raken iets zachts dat lekker kán zijn. Iemand klakt met zijn tong. Van schrik trekt hij zijn hand terug. Hij kijkt om: niemand. Weer klakt iemand zijn tong tegen zijn verhemelte. Tsk!! boedak, tsk-tsk!!

Voor hem zwoegen de zwaarbeladen mannen, hun ruggen zwijgen; hij hoort alleen het kraken van takjes die zij vertrappen. Hij kan zich niet voorstellen dat een van hen –

Tsk! Tsk!

Ja, nu ziet hij het. Een van de mannen draagt geen muziekinstrument; op zijn rug schokt, wiegt, schommelt een vogelkooi, de doek is weggegleden. Achter de rieten spijltjes roert zich een praatvogel, een beo is 't.

Praatvogels pikken de ziel. Betoel! Iemand ligt te sterven, komen ze pik-pik met hun zwarte snavel. Laatste woorden? Pik, weg! Plotseling wordt hij bang. Zou bapak of iboe… of nee toch… niet njonja, toch? Dat mag hij niet denken, niet doen! Niet haar naam. Hij moet gauw iets anders zeggen. Iets iets iets. Op een grote fiets. Makan makan makan uit de grote zak dan.

Tsk-tsk, doet de vogel.

Hij kijkt opnieuw naar het glanzend zwarte dier, kijkt in de loerende kraalogen. Nee, het is niet mogelijk, maakt hij zichzelf wijs. Daar zit njonja's ziel niet in. Zo kijkt zij nooit, zo selamba ja, zo brutaal, ze zegt ook nooit tsk-tsk tegen hem. Nee, dit is niet haar ziel, dat wil hij niet geloven. Njonja Alma leeft nog, betoel! zegt hij bij zichzelf, ja ergens is ze nog. En niet in deze vogel!

X

Ze lopen, lopen, hij weet niet hoe lang. Het donkere woud in, zijn ze, de planten zwiepen in zijn gezicht. Hier en daar flikkert zonlicht op, pijlen nee messen van licht die door de bladeren steken.

Dan (heeft hij niet opgelet?) zijn ze door het donker heen, terug in het witte licht. Het prikt in zijn oog, hij ziet niets meer. Een ravijn, zeggen de mannen tegen elkaar, tegen hem. Djoerang, wordt er gefluisterd, woord uit angstige dromen zonder houvast. Hij ziet het eerst niet, zijn ogen zijn nog verblind. Pas op, sist het om hem heen. Waar dan? wil hij vragen. Oei, hij ziet het al, zijn hoofd duizelt ervan. Steil, man! In de diepte glinstert een kali, de zon spettert in het water. Het lijken wel stukjes glas, een pad van glas lijkt het. Achter hem in de bomen hoort hij slingerapen krijsen. De beo hoort het ook, doet iéék-iéék, springt als een razende op en neer in z'n kooi. Alsof ie zelf een apie is!

De mannen palaveren. Ze wijzen om beurten naar de overkant. Ondanks de duizelingwekkende diepte verschrikkelijk dichtbij. Een hele grote sprong, schat hij, en je bent er. Een man dan, want een jongen stort mati mampoes! in de diepte, zeker weten.

Iemand geeft hem een klont kleefrijst, drukt het pakketje in z'n hand, gaat dan weer bij de anderen staan. Meteen gaat hij peuzelen, hij neemt met duim en wijsvingers kleine plukjes, het is viezer dan thuis, toch eet hij door.

Zouden ze gaan springen? Hij denkt het niet, hij denkt: ze gaan iets verzinnen, een brug van bladeren, een touw om mee te slingeren. Of dalen ze af, gaan ze aan handen en voeten de diepte in?

Zonder speciale interesse tuurt hij naar de overkant. Daar ziet het er hetzelfde uit als hier, dat is het vreemde; alleen omdat ze hier staan, willen ze daar zijn. Hij schraapt, terwijl hij eet, met zijn hak over de harde grond, krabt grind en gruizel los, trapt het van zich af, over de rand, foetsie weg.

De berg, ziet hij nu, lijkt in tweeën gescheurd om de rivier ertussen te laten. De beide helften passen nog steeds op elkaar. Maar terugduwen, dat gaat niet meer, hihi, het moet dus voor altijd zo blijven.

Af en toe kijkt hij op, volgt zonder te luisteren het woest gepraat van de anderen, ziet hun strakke lippen, hun ontblote tanden, hun felle handen die de lucht in mootjes hakken. En in zijn kooi, neergepleurd tussen de muziekinstrumenten, ratelt snatert de beo lustig mee. Tsjak-tsjak, als de handen de lucht klieven. Tss! als de tongen tussen de tanden door komen sissen.

Bodoh boeroeng, zegt hij zachtjes, stomme vogel ja.

Wat wat? zegt de beo terug. Ada apa? blijft hij zeggen, ada apa?

Hoe langer hij hier zo zit, des te verder en vreemder de overkant wordt. Alsof het daarginds later is dan hier, later op de dag dus, en donkerder ook, alsof daar de nacht al bijna gaat beginnen. Het schemert al onder het onafzienbare groen, het wacht het moment af om te voorschijn te mogen komen, net als de dieren houdt het donker zich schuil onder het gebladerte.

ХХ

De muziekspelers kennen njonja niet, zij komen zelf uit een andere stad. Ze noemen de naam, hij verstaat hem niet, niet goed genoeg tenminste om hem te onthouden. Hij vraagt of ze piano spelen. Pardon? vragen ze, ze lachen allemaal. Iemand probeert een deftige mevrouw na te doen: getuite lippen, kin omhoog, pink in de lucht. Nu moeten ze allemaal nog harder lachen. Nee, sinjo, wij niet, wij geen piano.

Ze zijn op weg naar een bruiloft, daar moeten zij drie dagen optreden. Er wordt met duim over wijsvinger gewreven, ping-ping, alsof er een blanke gulden moet gaan glimmen. Daarom, zeggen ze, móéten ze naar de overkant, er wordt daar op ons gewacht, wij gaan daar belangrijk zijn.

Opeens kraakt er hout, geroep, geraas van takken. Er wordt een bamboebosje gerooid, ze beginnen een brug te bouwen, zeggen ze, hij mag helpen. De twijgen worden afgerist, de kaalgeplukte stammetjes netjes op een rij, maar ze mogen niet worden weggegooid, de losse twijgen, zegt iemand tegen hem, ze worden straks gebruikt om de stammetjes aan elkaar te binden.

Het zal hem benieuwen, die dunne boompjes, of die hen zullen houden. Krtak! we storten zo de diepte in, dood ja. Hij vraagt: moeten we niet beter een andere boom omhakken? Een hele grote dikke boom die sterk genoeg is, zo'n kolos die precies over het ravijn heen valt als hij doormidden is gehakt. Als dát zou kunnen, wordt er gelachen. Tentoe! Maar zijzelf, ze zijn te klein voor zulke bomen, sajang, zij krijgen ze niet om, ze hebben geen bijlen ook. Dus sinjo, voor jouw plan zijn wij gewoon niet sterk genoeg.

Lange, buigzame vingers vlechten de twijgen tot touw. Iemand speelt fluit, de soeling van hetzelfde hout als de brug die wordt gemaakt, hij blaast de brug tot leven. De handen en vingers van de vlechters volgen de vingers op de soeling, zij doen na wat hun wordt toegezongen, ze mompelen ze murmelen mee, ze neuriën het verhaal dat de fluit hun vertelt, dat is het verhaal van de twijgen die touw worden, van touw dat de brug bijeen gaat houden, van de brug die hen naar de overkant zal leiden, maar nu nog niet, nu is het touw nog twijg, ligt het bamboe in losse palen in het gras en is de overkant nog ver, zegt de fluit, beamen de handen en kan hij ook met eigen ogen zien.

Achter hen gaat het woud tekeer, vogels, apen, gekko's, en de beo in de kooi weet niet wat hij moet doen. Moet hij fluiten met de soeling mee, moet hij schreeuwen met het woud? De vogel hipt ongedurig door zijn kooi, springt telkens met zijn koppie tegen de tralies op.

De fluit achtervolgt een lied, Izak luistert er niet echt naar, zijn vingers rissen de blaadjes van de twijgen, de brug begint langzaam te bestaan. Hij hoeft niets te doen dan wachten;

wat gebeurt, gebeurt vanzelf. Hij hoeft alleen maar op te letten, hij hoeft alleen maar te wachten en op te letten, hij hoeft er alleen maar te zijn.

)(

's Nachts is er heisa, hij schrikt wakker. Spooklicht van fakkels. Opflakkerend tegen het zwart van het dichte gebladerte. De mannen schreeuwen als apen. Ze slaan met takken op de grond. Oelar! Oelar ari! Hij verstaat het eerst niet. Awas! zeggen ze, pas op. Een slang, tss! een slang met gif. Plots voelt hij het overal kriebelen, onder zijn kleren, op zijn blote rug, hij durft zich niet meer te verroeren. En steeds blijft hij iets van een slang tegen zijn huid aan voelen. Hij weet niet wat het is, een tongetje getver, of nee toch niet.

Hij denkt dat hij slaapt. Droomt dat hij wakker is.

Ka! Ka! krijsen de mannen als kraaien, ze zwiepen hun takken, ze stampen, ze stampen met hun hielen in de grond.

Het bos is vol met stille, loerende dieren die hun adem inhouden. Ook hij houdt zijn adem in, om beter te kunnen horen. De donshaartjes op zijn huid rekken zich uit, als voelsprietjes. Zijn hart bonst als een gek, het wordt een stompende vuist.

Is er iemand gebeten? vraagt hij met een zwak stemmetje. Hij hoopt van wel, het is beter wanneer de slang het op iemand anders heeft voorzien. Maar niemand luistert, iedereen schreeuwt. Zijn ze al gebeten dus? bedenkt hij. Schreeuwen ze nu van de pijn? In het licht van de fakkels ziet hij hun grimmige, vertrokken koppen. Hij ziet ook het oplichtende gebladerte, een scherm van een oud schimmenspel denkt hij, een wajang poerwa, maar hij herkent geen enkele trekpop in het vlekkerige licht.

Het bos ziet er ineens uit of het door mensen wordt nagespeeld, onzichtbare volwassenen die op behendige wijze takken vasthouden, waaiers van blad, waarmee zij zwaaien om te zorgen dat het licht gaat flakkeren. Zij hebben een slang verzonnen om hem bang te maken. Zij hebben hem verzonnen ja, het is hún slang. Maar hij, helemaal wit zo bang, weet niks, kan niets anders dan hen geloven.

En vergeten waar hij is, dat is hij ook. Hij kent deze schreeuwende mensen niet. Wat zoeken zij hier, bij hem? Waar is bapa toch? Waar is het paadje achterlangs naar huis? Alles is plotseling dichtgemaakt met takkengroen en duisternis, hij ziet geen hand voor ogen hier.

Plots rinkelen er schelletjes, galmt er een gong, bonken er trommels. En dan weet hij het weer. De mannen hebben de fakkels in een halve maan om hen heen in de grond geplant, hun handen roffelen wat ze kunnen op de kendang en de ketipoeng, iemand hamert sneller dan de wind op de blikken buizen van de saron. De geest van de slang wordt gevangen door de geest van de muziek. Gordijnen van rinkelend metaal worden dichtgetrokken, net zo onzichtbaar als de slang zelf, er rammelen kettingen, een kooi van ijzer, alleen te horen, niet te zien, ontelbare klinknagels worden er geslagen. De slang kan misschien uit zijn eigen lichaam ontsnappen, maar hier komt hij niet meer weg!

Dan, als de soeling zacht begint te zingen, weet hij dat het over is. De kendang en de saron, de ketipoeng en de bonangs weten het ook. De mannen houden het voor gezien en doven zwijgend hun fakkels.

Alleen de fluit gaat nog even door. In het pikkedonker weeft hij een heel dun draadje, zo licht en fijn dat je zachtjes moet slapen om het te kunnen zien.

)(

De brug is er. En nu? De mannen kijken elkaar onderzoekend aan. Dun en breekbaar hangt het bedenksel over de afgrond, het knarst en piept bij elk zuchtje wind. Om beurten trekken de makers aan het twijgentouw, ze turen in de diepte, klakken met hun tong. Kijken dan elkaar weer aan. Iemand steekt een sigaret op, ze steken allemaal een sigaret op. Ze zuigen de rook zo hard naar binnen dat hun sigaretten ervan knetteren. En hoesten, het lijkt wel of ze blaffen, de rook komt hun oren uit.

Dan gaat er een wijzen en gaan ze allemaal wijzen. Naar de brug, naar de overkant, naar beneden. Ze zien iets – maar wat?

Opeens kijken ze met zijn allen naar hem. Engkau? zeggen ze. Jongen, ben je er klaar voor? Ze doen hun best om niet te lachen, hij ziet het wel. Ze doen hun best om hem niet uit te lachen. Anang, ke mari! zegt er een. Kom op, jongen! Iemand staat aan zijn bovenarm te trekken. Laat los, laat me los. Ik ben niet bang hoor, wil hij zeggen, wat denken ze wel. Hij probeert zich los te rukken, niet om weg te lopen, maar om zelf te gaan, zelf de brug op te gaan. Hou op, toean. Ik ga al, ik ga al. Als ze hem maar niet duwen. Daar staat hij te wankelen. Niet hij, het is de brug die wankelt. Hij staat stevig, zijn voetzolen voelen de bamboe, zijn handen aan de lianen die als leuningen dienen. Tussen de spijlen de diepte. Niet doen, niet kijken. Het diepe onder hem trekt, zuigt. Alles is er schattig klein, ziet hij tussen zijn voeten door. Niks om bang voor te zijn. Het is daar zoveel kleiner, het stelt niets voor. Naar voren kijken, rustig blijven. Als hij steil naar beneden kijkt, denkt hij aan vallen. Hij moet naar de overkant kijken, zijn gedachten alvast in veiligheid brengen.

Achter zich hoort hij aanwijzingen die hij niet kan verstaan. Of hoesten de kerels alleen maar?

Midden op de brug houdt hij stil, hij weet niet waarom, om de oneindige lucht te voelen waar hij in loopt, hij heeft zin om zijn hoofd in zijn nek te gooien, omhoog te kijken, hij doet het, hij voelt dat hij zweeft, ver boven de afgrond, licht als een vlinder. Zijn hoofd wordt ijl, hij voelt het een beetje duizelen, zo ijl is het ineens. Vrij als een vogeltje hangt hij tussen hemel en aarde. Hij is de enige die dit durft, hier durft te staan. Hij krijgt zin om te schreeuwen, waarom ook niet.

Voor hij er erg in heeft, knalt het eruit. AA-OEWAAH!!! Hij schrikt ervan. Wat een raar geluid. Was hij dat? Het stuitert in de diepte, het kaatst tegen de wanden en weg is het, verdwenen in het blauwe boven hem.

)(

Als hij er is, volgen de anderen. De brug schommelt vervaarlijk, door al die zware dingen ook, die ze met zich mee dragen. Zie ze zwoegen, de muziektoeans. Er is iets veranderd, nu hij als eerste de overkant heeft bereikt. Hij is groter geworden, en zij daar kleiner. Hij heeft hen verslagen, en dat weten ze. Eigenlijk zou hij van nu af aan voorop moeten lopen.

Alleen weet hij niet waarheen, hij weet niet hoe de anderen er steeds achter komen welke kant de juiste is. Hoe zien ze dat? Waarom lopen grote mensen vanzelf de juiste kant op en weten kleine jongens van niets?

Een voor een bereiken ze de vaste grond, zuchtend, kreunend. De draagstokken, de pikoelans, die ze op één schouder laten rusten, piepen en kraken onder het gewicht. Pakken, manden, muziekinstrumenten, wat moet er al niet worden meegezeuld over de afgrond heen. Zodra ze er zijn, zakken ze door hun knieën totdat de lading de grond raakt, stappen dan onder hun pikoelan uit. Rekken zich uit. Hèhè, we zijn er.

Nu is het niet ver meer, vangt hij op.

Tussen de bomen door kan hij uitkijken over de heuvels. Tegen de hellingen aan de overkant glinsteren natte sawahs in het zilverlicht, even verderop, half verscholen achter bamboehagen, de rieten dakjes van een desa.

Daar trouwt de achter-achterneef van de soesoehoenan, zeggen ze, met een meisje uit het dorp. Dat dorp, daarginds? Nee joh, niet dat dorp. Een ander dorp, wacht maar, we zijn er zo. Hij heeft nog nooit van de soesoehoenan gehoord. Het is iemand die héél héél belangrijk schijnt te zijn. Maar komen doet hij niet, het fijne weten ze er niet van.

Hij denkt na. Heeft degene die niet komt een piano, wil hij weten. Zelf kent hij van de belangrijke personen alleen njonja.

Nee, natuurlijk niet, wat denk jij wel! lachen de muzikanten, alleen Europeanen hebben een piano thuis. De man over wie zij spreken is een Javaanse vorst uit de omstreken van Djokja. En pèh! radja luistert niet naar piano, nee zeg! ta'boleh! Radja houdt van echte muziek, gamelan dus, waarin nog alle kleuren van de regenboog te horen zijn. Niet die ingeblikte machinemuziek uit Europa, adoeh nee! waar de tonenreeks van tevoren is vastgelegd en waar elke toon met een pasklaar hamertje aan de desbetreffende toets is gemonteerd; je hoeft ze maar in te drukken en je weet al wat er komt. Geen kunst, toch, zoiets?

Hij weet niet wat hij moet terugzeggen, niet meteen tenminste, daarom doet hij of hij het niet heeft gehoord. Ze kunnen het niet zien, maar met iedere pas die hij zet, vertrapt hij hun woorden, hij trapt ze stap voor stap helemaal kapot. En in zijn broekzak voelt hij met warme vingers aan de sleutel, hij heeft 'm nog steeds, natuurlijk heeft hij 'm nog.

X

Er komt niemand het dorp uit om hen te verwelkomen. Het toegangshek staat op een kier. Vreemd toch, je zou hier een heisa van mensen verwachten. Op zo'n feestelijke dag. Of liggen ze even met zijn allen te slapen? om goed uitgerust te zijn als de muziek begint.

De mannen vertrouwen het niet. Ze wijzen op de grote levensboom van de desa, de waringin, die een eindje verderop los in het veld staat, wijs en eerbiedwaardig als een honderd-jarige. Foei-foei, zeggen ze, tjonge-tjonge, er zijn geen tekenen geplaatst, er wordt niets geofferd. Ze zeggen dat er bij de waringin iets moet branden, anders komt er ongeluk. Schudden hun hoofd. Dan kijken ze hem aan – maar waarom hem? hij weet dat soort dingen toch niet, hij is geen Javaan! hij is niet van hier, hij is van ver, van Ambon is hij.

Ze luisteren of ze iets horen, nee niets. Niets beweegt. Nog geen blaadje, geen takje. Dan duwen ze voorzichtig tegen het hek, het lijkt of ze bang zijn dat het verder opengaat.

Of zijn ze bang om iemand wakker te maken? Het is hier zo stil, je kunt de slapenden haast horen ademen, honderd bruiloftsgasten wier borstkassen gestaag op en neer gaan, ze zagen als krekels, ze zieden als vliegen.

Misschien hebben de dorpsbewoners zich verstopt, springen ze straks met z'n allen plotseling te voorschijn, om hen hahaha! aan het schrikken te maken. Hij heeft het er niet op, hij laat het liefst de mannen het alleen uitzoeken.

Toch, als ze naar binnen verdwijnen, hem hier in het open veld laten staan, glipt hij achter hen aan. Het doet hem aan het leger van bapa denken, dit sluipen door een vreemde desa. Nu is hij zelf ook op patroli, net als bapa.

Ook de mannen sluipen, maar zij willen niet sluipen, zij willen op bezoek zijn, als welkome gasten worden onthaald. Niet dat bangige, ze hebben daar schijt aan, ineens. Hai semoea! roepen ze. Semoea orang! Selamatan! Ze roepen zo hard mogelijk, om de angst te overstemmen die in hun oren suist. We zijn van de muziek, roepen ze, als het aan ons ligt kan het feest dadelijk beginnen.

In de pondoks blijft het stil, achter de bilik-wandjes wordt geen kik gegeven.

Gek trouwens, dat het nergens naar eten geurt. Op een bruiloft. En dan geen eten. Nee toch?

Alleen dieren zien ze, waar ze ook gaan. Op de paadjes struikelen ze over de krielkippen, ze hippen en pikken, gaan slechts met de grootste tegenzin opzij, de stomme beesten. Pas als ze geschopt worden fladderen ze op, hevig ontzet, in een wolk van pluis en veertjes.

Vastgebonden aan een touw, een magere geit die hartstochtelijk begint te mekkeren. En uit het niets een nieuwsgierig varken, vol verwachting blijft het achter hen aan waggelen.

Hij begint te vermoeden dat de muzikanten het verkeerd hebben: de verkeerde dag, het verkeerde dorp, de verkeerde bruiloft. Of gaan ze hier wachten, tot de bruiloftsgasten misschien terugkomen? Misschien ja. Maar misschien ook niet.

Van hem hoeft het niet, hij heeft het hier wel weer gezien. Hij moet nog verder. Veel verder, god weet waar, denkt hij, staat de piano van njonja op hem te wachten.

De muzikanten lopen luidruchtig te praten en te lachen, ze steken sigaretten op en schoppen de stomme kippen opzij. Ze gaan gewoon de pondoks in, kijken of er iets te smikkelen valt.

Ook hij glipt ergens binnen, in zo'n donkere desahut. Het stinkt er naar vuilnis, er kriebelen vieze vliegen in zijn gezicht, hij maait ze van zich af. Hij moet kokhalzen.

Als hij weer weg wil gaan, verbeeldt hij zich plotseling dat hij iemand ziet. Van schrik durft hij niet meer te bewegen, niet meer te ademen. Zo stil wordt hij, wordt het in hem, hij wordt een ding dat er zomaar is.

Hoe langer hij hier blijft, in deze vuile hut, des te meer er om hem heen begint te bestaan. En ook hijzelf, het ding dat hij zelf is, wordt nu gezien, hij voelt dat gewoon. Hij voelt het duister van zich afglijden. Langzaam beginnen zijn ogen te ontdekken. Vlekken worden vormen, hij herkent ze. Een tafel met een wadjan erop, een dinges, hoe-heet-het, en – van schrik slikt hij zijn adem in.

Op de grond een mens, een man denkt hij, die niet beweegt omdat hij heel diep slaapt. Of omdat hij niet gezien wil worden. Maar hij heeft hem nu gezien. Weet de man of de mens het al, dat hij inmiddels is gezien?

De mens ligt met zijn gezicht plat op de planken vloer, alsof hij tussen de naden weg wil kruipen, om zich te verbergen in de kolong onder de pondok hier. Waarom doet hij het niet, waarom kruipt hij niet weg?

Of gaat hij aanvallen? Houdt hij een korte kris in zijn vuist geklemd, verborgen onder zijn buik?

Hij hoort geschreeuw, maar het is van buiten. Niet van de man dus, de mens op de grond. Het is buiten, daar wordt geschreeuwd. Toch durft hij niet zomaar weg te lopen om te kijken. Bang is hij, ja, dat de man, de mens, achter hem krijsend overeind schiet, als een vuil smerig beest, om hem te verscheuren.

Ze komen zijn kant op, hij draait zich om om te zien, ja, ze komen eraan, ze lopen midden in het lawaai van hun kreten, het stuift in wolken rondom hen op. Daar komen ze, ze verduisteren groepsgewijs de deuropening, weg is het schetterende licht. En ook als ze binnen staan, hijgend, zwetend, blijft de duisternis om hun grote gestalten heen hangen.

Net als de vliegen die hier zijn, die hier niet zijn weg te slaan.

Het hijgen van de mannen verandert in een soort grommen nu, eentje moet er zelfs van hoesten. Ze praten ook, tussendoor. Hij verstaat het niet, maar het kan zijn dat hij het niet mag horen. Weten ze het? Ja, ze weten het, ze weten wat er aan de hand is. Of toch niet?

Hij denkt: ze zullen de man, de mens toch niet wakker maken?

De mens is dood, zeggen ze. Hij denkt dat ze dat zeggen. De man, de mens op de grond. Mati! orang mati! schreeuwen ze.

Ze gaan zo tekeer, als huilende honden, hij let daarom alleen nog op hun woeste geschreeuw, niet op wat zij zeggen. Er is iemand dood, vermoord misschien. Denkt hij dat ze denken. Hij hoort de woorden, ja, maar hij hoort alleen de *klank* van de woorden, de schelle, hoge uithalen die hij nooit eerder bij iemand heeft gehoord.

𝕏

Als ze naar buiten gaan, hij ook, dringt het tot hem door dat hij niet heeft gekeken. Vergeten. Terwijl hij nog nooit een dode heeft gezien. Niet één, nee. De doden waar hij weet van heeft, zijn allemaal op Ambon. Daar wonen onze doden, zegt bapa. Hij kent ze zelf niet, maar bapa wel. Hij zegt dat de vader en de moeder van iboe twee doden zijn, maar eerst zijn ze levend geweest, heel lang geleden. Nu zijn ze twee doden, mati-mati, en leven ze in heerlijkheid. Iboe wil ze terugvinden, zegt ze soms; ze zijn te vroeg gegaan, zegt ze, ze hoefden nog niet. In alle families zijn doden, zegt bapa.

En nu ligt er hier een dode in het echt, tjonge. Zomaar een echte, op klaarlichte dag. Hij draait zich om, maar hij wordt voortgeduwd, ze laten hem niet meer naar binnen gaan. Sajang! jammer toch! zo dichtbij.

Maar – hij probeert het, en als hij zijn ogen heel hard dichtknijpt gelooft hij de dode van zoëven *bijna* te zien, het is alsof hij zijn ogen net niet, nee net niet hard genoeg kan dichtknijpen.

Buiten zijn er meer. Lagi orang mati, wordt er gezegd. Nog meer doden. De muzikanten praten met zijn allen tegelijk. Zegt een, zeggen ze allemaal: ook de bruidegom is een dode geworden. Heb je het gezien? zeggen ze, vragen ze. Nu gaan ze steeds harder praten, steeds sneller, hoger. De woorden klimmen over elkaar heen, maar ze komen er telkens net niet bovenuit, blijven tussen de andere woorden klem zitten. Hebben zij nooit eerder een dode gezien? dat ze zo opgewonden doen. Zij zijn grote mensen, toch? en dan zo'n goegoep maken hier.

Zal hij gaan kijken? Het kan, er wordt niet op hem gelet, te druk zijzelf, de grote mensen, hij kan nu gaan kijken als hij wil.

Toch nee, hij durft het niet, niet te ver van de anderen weg, nee, hij durft niet alleen met doden te zijn, hij is bang dat ze hem tot zich nemen. Hem eerst in slaap toveren, hem dan koud maken en hem dan onder de grond trekken.

Misschien is het daarom dat de grote mensen zo tekeergaan: bang dat ook zij... Ze blijven dicht bij elkaar staan, dat ziet hij wel. Niemand wil door de doden worden overvallen. Het kan zo gebeuren, als er niet wordt opgepast. Awas! voor je het weet, springen ze je in de nek, trekken ze je onder de grond.

In alle pondoks liggen ze te liggen hier, ook de bruidegom. In plaats van straks te trouwen ligt hij nu ergens in zijn mooiste kleren een dode te zijn. De bruid van hem leeft nog, móét nog leven, toch? niemand heeft haar dood gezien. Is ze weg, bijtijds gevlucht? of moet ze nog komen? is ze hierheen onderweg?

Hij weet niet hoe hij aan haar moet denken. Hij denkt daarom aan njonja. Probeert zich voor te stellen hoe *zij* is gevlucht. Met andere belanda's in de open laadbak van een motor grobak, hij kent ze van de tangsi thuis: van die hoestende kuchende legervrachtauto's met zo'n verroeste knalpijp waar vieze zwarte smook uit komt. Het lukt hem niet om njonja in een motor grobak te zien, haar kleren gaan daar vuil worden, ze gaat onderweg omvallen door het gehobbel, het gebonk, nee op die manier wordt 't niks, nee hè, njonja?

Hij denkt, als hij aan haar denkt – aan njonja dus, aan haar verdwijnen – dat ze met de trein is gegaan.

Zijn mooie Hollandse mevrouw... Bij het instappen houdt een conducteur een moment haar vingertoppen vast, ja zo is 't gegaan, en met haar andere hand tilt ze haar lange rokken op, ze mogen niet door de vuiligheid slepen, neenee. Daarna tast haar hand, losgelaten nu, naar een eigen evenwicht. In de lege lucht tast haar vrije hand met aarzelende vingers naar wat? naar lucht ja! naar niks! waarbij ze inderdaad op haar fijne schoentjes eventjes lijkt te wankelen, haar evenwicht ternauwernood hervindt.

Als hij aan haar denkt, maken zijn gedachten van haar een dame die naar de stad toe is. Een dame met een parasol. Die heeft zij nodig, ja. Tegen de schittering. Zij is blank, haar huid zo zacht, zo dun, de zon brandt tjah! dwars door haar heen.

Het is op die manier of zij iemand anders is. En ineens de angstige gedachte dat zij hem vergeten is. Hij kijkt naar zijn zwarte nagelranden, zijn besmeurde knieën. (Zij met haar lange japon, haar gouden haren.) Een kleine jongen van Ambon, vuil geworden van het bos en van de bergen, waarom zou zij aan hem denken gaan? Maar als hij haar piano terugbrengt, dan gaat zij hem weer kennen ja, dan gaat zij hem dankbaar zijn. Zij heeft hem de sleutel gegeven, zij heeft hem de belofte gedaan.

)(

Nu ziet hij de doden. Uit alle pondoks komen ze te voorschijn. Ze kunnen niet meer bewegen, daarom worden ze over de grond gesleept. Hij durft ze niet aan te raken, prrr! hij vindt ze vies, zo geel ja en overal donkere vlekken. Er zijn grote vliegen neergedaald, ze kruipen uit blauwzwarte monden, krioelen over opengesperde ogen. De mannen hebben doeken voor hun neus en mond gebonden, nee niks inademen. Ze durven niet te kijken, keren hun gezichten af. Zo verslepen ze de ballast, achteruitlopend en met weggedraaid gezicht, ieder met zijn zelfgevonden lijk. De doden geven geen krimp, 't scheelt ze geen zier, ze gaan met hun haren door de aarde, ze harken met hun dode hoofd een voor in de grond. Zielig kan hij ze niet vinden, het lukt hem gewoon niet. Omdat ze er zo vies uitzien, bah. En stinken jongen! nog erger dan rotte beesten.

Ze zijn helemaal opgestijfd, moet je zien. Hun armen, tss, helemaal hard. Je moet ze gaan zagen om ze weer recht te krijgen, zeggen ze.

De dode bruiloftsgasten worden naast elkaar gelegd, maar het lukt niet om ze op een rijtje te krijgen. Helemaal in de war liggen ze. Alsof ze ergens heel heel erg van geschrokken zijn. Sepala-pala porak-peranda, helemaal in de knoop geraakt zijn ze. Nee, hoe er ook aan hen wordt gesjord, met hen wordt geschoven, zwaar! de sjouwers zuchten ervan, niemand krijgt hen terug in het gelid.

De armen, hoofden, voeten, het lijken wel losse onderdelen, losse stukken die niet meer passen. Te vies ook om nog te gebruiken.

Nu zijn ze moe, de mannen. Ze weten even niet hoe het verder moet. Gaan ze begraven of gaan ze verbranden? De een vindt dit de ander dat. De een zegt: ze moeten in het vuur, ze moeten eerst rook worden en dan lucht, de ander zegt: nee-nee, ze moeten ogottegod in een kuil in de grond. Omhoog? Omlaag? Wat zal het zijn?

Om hierover na te denken gaan ze erbij zitten, hèhè, even rust. Hun armen maaien vieze vliegen weg.

Nee bah, niet hier zitten, hier stinkt 't hoor! zegt er een, laten we verderop, buiten de omheining van de desa, in de frisse lucht in het vrije veld, vinden jullie niet? laten we daarbuiten onder de oude waringin gaan zitten palaveren.

Voor de zekerheid nemen sommigen eindjes hout mee. Vuur! ja, er gaat een vuur gestookt worden. Ook wordt er uit de desa een jong geitje meegelokt. Verder is er tjoes! een groot scherp mes.

Het geitje loopt nieuwsgierig voorop, dat stomme beest. Ze trekt ongeduldig aan het touw dat haar tegenhoudt. Beesten weten niks, zegt er een; hij is een Batakker of zo, geen echte Javaan in elk geval. De Batakkers zijn menseneters, zegt bapa, ze eten ze levend. Maar de mensen hier zijn al dood, die lust hij waarschijnlijk niet meer.

Door het grote hek naar buiten met z'n allen, het vrije veld in, waar het landschap voor hun schuwe ogen uitademt, blauw als een klaarlichte dag.

In de schaduw, onder de oude waringin, vinden ze hun plek. Ze ploffen neer om sigaretten te gaan roken en hun palaver over de doden te hervatten, of ze verbrand moeten worden of begraven.

Hem verveelt het, dit gepraat en gerook, het duurt zo lang. Hij gaat liever opstaan, er is een stuk schors van de stam dat loszit, hij wil proberen het zo netjes mogelijk eraf te trekken.

Daarom ziet hij het niet meteen, en als hij het ziet begrijpt hij het niet meteen. Het geitje. Iemand houdt haar tussen zijn benen in bedwang, iemand anders houdt het touw strak. De Batakker of wat hij is hurkt bij het diertje, het lijkt of hij haar iets in het oor fluistert.

En dan ziet hij het gebeuren. Er wordt, heel rustig eigenlijk, een lang mes in de hals van het jonge beest geprikt, en er dieper in geduwd. Hij ziet het goed, sih? Met kalme vastberadenheid wordt het blinkende lemmet door de menseneter in de zachte hals gedrukt, ja, tot waar je het niet meer ziet, tot aan de hand die het heft omklemt.

Het geitje zelf doet net of het haar niet aangaat. Met haar voorpoot schraapt ze over de grond, schiet toch 'ns op in mijn hals, lijkt ze te willen zeggen, ik wil weer gaan spelen. Het meest hinderen haar de dwingende grotemannenknieën waartussen zij klem is gezet. Op het mes reageert ze niet, ook niet wanneer het begint te zagen, met lange halen de keel gaat doorzagen; het bloed spuit, toempah jongen! als een fontein, snelle handen schieten toe, stelpen de vloed, maar het eigenwijze geitje blijft staan waar ze staat. Alsof de kop er niets mee te maken heeft! met het lichaam waar in gesneden wordt. Een vreemde is het voor haar, dit bloedende lichaam, een ding als een ander. Ze kijkt stug voor zich uit, met dit vieze geklieder wenst ze niets te maken te hebben, toch?

Doet 't geen pijn, lief geitje? denkt hij.

Eerst knikken haar achterpoten, het lijkt of ze zich per ongeluk verstapt en niet meer weet te corrigeren. Dan knakken ook haar voorpoten, ze zijgt ineen.

En terwijl ze de keel verder afsnijden, moeten ze haar snuitje omhoog houden, haar koppie zakt steeds plat op de grond, in de troep, en zo kunnen ze niet goed verder snijden.

Het geitje is nu een ding geworden, ze gaan het bewerken, ze stropen de huid. Ze scheuren hem er zo af! Zonder vacht wordt het geitending mager en wit, rauw vlees in een vlies, tjampah bah! De vacht zelf is veel mooier, die trekt hem wel aan, zo'n lap zou hij wel willen bezitten om er lekker zacht op te liggen, met je wang ertegenaan, en dan zomaar liggen denken hoe fijn het is om zo te liggen, zo senang.

))

Boven het gloeiende houtvuur liggen de eerste lappen vlees te roosteren, mmm, ze spetteren van het vet. Het palaver over de dode bruiloftsgasten kan beginnen. De mannen vegen hun puntmessen schoon, ze vegen ze schoon aan het gras. Niet door elkaar praten, zeggen ze, ze zeggen het allemaal tegelijk en door elkaar heen, eerbied voor de doden, zegt er een, jaja, mompelen ze met z'n allen, hormat mati, mengor mati mati. Af en toe keert een oplettende het vlees, het sap sist in het vuur, het ruikt mmm, sedap, iedereen denkt aan eten.

Toch, het is zéér besar hoor wat ze hier doen, daarom probeert iedereen stil te zijn, hier in de schaduw, in het dwarrellicht onder de oude waringin. En verderop, zie! ademt het vruchtbare land; en nog verder weg wachten de levende blauwe heuvels. Maar hier, onder de oude onbekende voorvaderboom, hier houdt elk van hen zijn adem in.

Het is een tanige Javaan die begint met spreken, hij heeft een geel-bruin gebatikte kain kepala op zijn hoofd geknoopt, op de manier waarop zij dat doen. De huid van zijn hals is van vergeeld pakpapier, een verfrommelde prop die weer uit elkaar is gepeuterd en gladgestreken. Zou hij de leider zijn? en niet de slachtende Batakker? Hij probeert langzaam te spreken, de gekreukelde, de woorden mogen niet aan elkaar vastzitten, dat is de regel die hij volgt, ze moeten allemaal los blijven, los in de lucht, ze moeten kunnen vallen, ze moeten opgevangen kunnen worden. Ademloos wachten de anderen af. Steeds houdt hij zijn kin zo hoog mogelijk – om de kreukels uit zijn hals te krijgen, misschien? Gaat het hem lukken, haalt hij de regel? Tidak, tidak. Nee, het lukt hem niet, hij praat steeds sneller, de woorden komen niet meer van elkaar los, het is of hij er kwaad van wordt en naar zijn eigen woorden begint te happen, hap-hap, hij ze allemaal weer terug opeet.

Nu durven de anderen ook, ze gaan ineens heel hard door elkaar heen praten, iedereen wil eerst. Ze zitten ook niet meer, ze staan, met z'n allen, daar onder de oude wijze boom, ze staan daar met z'n allen te ruziën over de doden.

Er worden allerlei goden bij gehaald, alleen God zelf niet, die wordt als enige niet genoemd.

Laat ze toch, vindt er een, ze zijn moe, orang mati-mati, laat ze toch slapen. Laat ze toch rusten in een bedje onder de grond, waar het donker is en geen dag hen meer stoort.

Is toch vies, zeker? roept een ander. Tussen de pieren ja! de kevers, de kakkerlakken toch! vuilnis begraaft men onder de grond misschien! maar niet de mens!

Visjnoe vreest het vuurtje niet, preekt iemand. In het branden is licht en warmte alsook opwaartse druk. Omhoog met de ziel! en niet in de grond!

Panggan! pèh! zegt er weer een, je mag een dode toch niet roosteren als een... als een geitje! Alle betrokkenen kijken belangstellend opzij, naar de sappige bouten en vleeslappen.

Neeneenee, gaat het verder. Je moet hem onder de aarde begraven ja, de dode, je moet hem planten als een... als een zaadje! een zaadje dat kiemt.

Het is niet goed uit te maken wie wat beweert, de standpunten bewegen zich vrijelijk door het gekrakeel, iedereen raakt ervan in de war. Van schrik gaan ze steeds harder praten, bang dat iemand anders hun standpunt afpakt. Het lijkt wel een wedstrijd: wie het hardste kan. En herhalen! doen ze ook, ze moeten hun woorden steeds herhalen, anders weten ze ze misschien niet meer.

Zo gaat het maar door. Boven de grond! nee onder de grond! Omhoog! nee omlaag! De ziel! het lichaam! zijn één! zijn twee! In de lucht! nee in de aarde!

Bijna vergeten ze het vlees, maar ze vergeten het niet, ze halen het uit het vuur, ze leggen het op een pisangblad.

Het ruikt zo lekker, het vlees, ineens heeft niemand nog zin om over de doden te ruziën. Ze zeggen: we zien wel, we zien wel wat we doen. Ja, we gaan wel zien, zeggen ze eensgezind, we gaan wel zien wat we doen, straks, zo dadelijk, als we gegeten hebben. Als we gegeten hebben, gaan we wel zien wat we met de doden doen.

Het zijn de onzen niet, zeggen ze ook, het zijn niet onze doden, het zijn anderen. Dat zeggen ze tegen elkaar, ze zeggen het en knikken er instemmend bij.

En even later wordt het ernstig stil onder de waringin, want allemaal hebben ze hun monden volgepropt met vlees.

Om niet zomaar weg te gaan, nee dat kunnen ze niet maken, worden de muziekinstrumenten erbij gehaald. De doden, hebben ze gezegd, die blijven liggen waar ze liggen. Ja dat moet dan maar zo, het is niet anders. Als de vogels erin gaan pikken, stijgen ze ten hemel, de klapwiekende zielen; als de vossen ze oppeuzelen, worden ze verstrooid over de aarde, alwaar zij in duisternis de jongste dag zullen verbeiden, aldus verkondigt de Batakker, hij is bezig zijn instrument in elkaar te zetten, een bouwsel van hout met, daaraan bevestigd, gongetjes van blikkerend blik. Ze gaan de rouwmuziek spelen die is voorgeschreven aan het hof van de sultan, verklaart hij, terwijl hij ondertussen met duim en wijsvinger de dubbele rij gongetjes controleert. De sultan? Ja jeweetwel, de soesoehoenan, wiens neef niet naar de bruiloft kan komen, naar de bruiloft die zelf trouwens ook niet meer komt. En hoe doen jullie dat op Ambon? vraagt hij. Ik weet het niet, zegt de jongen. Bij ons gaat nooit iemand dood.

Bijna nooit tenminste. Ja, de ouders van iboe, zij gingen te vroeg, zegt iboe, zij leven nu voort in heerlijkheid. Hij kent ze niet, hij kent heel Ambon niet. – Maar op een dag zul je er zijn, zegt bapa, 't is er heerlijk, 't is er heerlijkheid alom. Wij zwemmen er als vissen in de zee, wij vangen er vissen, met de handen, en eten ze op. Wij branden 's nachts vuren op het witte strand, ja wij zijn gelukkig daar.

Wij halen op Ambon de vissen met onze handen uit de zee,

zegt Izak. Wij branden 's nachts zeven vuren op het witte strand.

De Batakker luistert al niet meer, hij buigt zich opzij, hij wil weten wat de anderen doen, zijn ze al zover? kunnen ze al muziek gaan maken? Ze praten niet meer, ze zitten alleen nog maar naar elkaar te kijken.

Het wordt stil, het is van die stilte die al bij de muziek hoort. Zo stil is het nu, dat het steeds weer vergeten geslijp van de cicaden luider en luider klinkt, met onbegrijpelijke nijverheid de trillend hete middaglucht vult.

Maar helderder, als water zo helder, als glas zo hel, ploinkt dan de eerste snaar.

Er verzamelt zich daar terstond een ruimheid omheen waarin de andere klanken worden rondgestrooid, de gongetjes rinkelen als zilvergeld, ze tingelen in de wind. Het rinkelt ja, het blinkert, het is muziek waar de wind doorheen kan, waar het licht doorheen schittert, zo veel ruimte wordt er opengelaten.

Ja, tussen de klanken door blijft er stilte komen, het is of de klanken met hun blote voetjes over de stiltes heen springen, zoals een kind, in z'n eentje spelend, over een regenplas springt zonder hem te willen beschadigen, zonder ook maar een enkel kringetje te maken op het oliezwarte zilverglanzende, zo landen de klanken een voor een precies voorbij de stilte. Zonder hem aan te raken.

De mannen kijken voor zich uit, verbaasd ja, ook zijzelf, hun handen gaan hun eigen gang, het zijn hun vingertoppen, meer is 't niet, ze raken hun instrumenten alleen maar aan met hun vingertoppen, de mannen lijken zich er verder niet mee te bemoeien, benieuwd vernemen ze de muziek, die ze nergens van lijken te kennen, die hier voor het eerst tot hen komt. Hun handen, raar dat ze dit doen, raar, hun vingertoppen weten meer dan zij met z'n allen bijeen.

Als ze het zouden begrijpen, zouden ze het niet meer kunnen. Ze weten van niks, ze zitten daar maar en onderwijl gebeurt de muziek.

)(

Nu gaan ze, hèhè eindelijk gaan ze weg. Het landschap is waar je ook kijkt, je kunt er overal in, in het blauw, in het groen, maar nee zij niet, zij gaan er niet zomaar binnen; ze volgen met opzet een bepaald pad. Ze trekken een lijn, maken een patroon. Van hier naar hier. Gaan de voeten. Het ene paar op sandalen, het andere bloot, de meeste voeten bloot. Bijna nooit tegelijk, het is geen gestamp, nee de voeten dalen net na elkaar, een gamelan van lopende voeten is 't. Ook kleppert er een losse slipper mee, en gehijg, er is hier en daar een zucht of een hijg, maar goed gekozen, bewust geplaatst, het is een gamelan van blote voeten en losse zuchten en een sandaal die kleppert tegen een hiel.

Waar ga jij heen? vraagt er een.

Izak weet het niet. Waar gaan jullie heen? piept hij. Het zou kunnen dat hij mee mocht.

Ze gaan naar huis, zegt de man. Hij noemt een naam, het zijn klanken die niets betekenen. Maar jij kunt niet mee, zegt hij, want jij woont ergens anders. Waar jij woont is te ver voor ons, zegt hij, daar komen wij niet, nooit gekomen ook.

Zij gaan hem toch niet hier achterlaten? toch niet hier bij de doden zeker? dat gaat niet gebeuren toch? Maar hij vindt het moeilijk om te vragen of hij soms een eindje mee mag, hun kant op.

Nee het is niet waar! ze gaan hem uitleggen hoe hij in z'n eentje moet lopen. Reda, jongen, menenangan, alles komt goed hoor. Wat zeggen ze? ze wijzen de weg, maar hij kent de namen niet, alle plekken hebben namen, wie ze kent weet waar hij is. Hij onthoudt het niet, te veel te veel toch, hij onthoudt alleen dat de stad waar hij moet zijn de Krokodillenstad wordt genoemd.

Dan is het tijd om afscheid te nemen. Zij gaan hier, hier ja tussen deze twee terugzwiepende takken, het bos weer in, en hij hij moet voort over het landweggetje dat langs de doodstille sawahs leidt. Er is daar verderop weer leven, zeggen ze nog, en weg zijn ze, alsof ze nooit hebben bestaan.

Hij kijkt naar de kant die hij op moet, over de sawahs heen naar de groene berghellingen.

Ineens is hij het helemaal kwijt, waarom hij hier is, wat hij hier doet. Nu is er niemand meer die hem kan helpen, niemand op de hele wereld die weet waar hij is. Een verdriet als een oud Ambonees lied welt in hem op. Zo'n lied waarin alles ver weg is of lang geleden, zelfs de gitaarsnaren gaan ervan huilen. Het kan alleen niet gezongen worden, hij kent de woorden niet.

Denkt hij aan iboe? Nee, hij denkt niet aan zijn moeder. Aan bapa? Nee, ook niet aan bapa. Aan njonja dan misschien? Misschien ja. Van alle grote mensen is zij de enige. Maar vandaag is hij te verdrietig voor haar, helemaal sedih is hij, nee vandaag lukt het niet om in zijn mevrouw te geloven.

III

Hij ziet ze pas als ze voor hem staan, de man en het meisje. Waar komen ze vandaan? zo snel? Ze hebben de zon in de rug, omstraald zijn ze, ze komen uit het licht tot hem. Zij zit te paard, schrijlings; de man staat er eenvoudig naast, houdt met een hand de teugel van het ranke paardje vast, steunt met de andere losjes op zijn geweer.

Izak kan zijn ogen niet van haar afhouden, zonder haar overigens te zien, hij tuurt in het wilde weg. Zijn blikken zijn zonder bodem, zij vangen niets op, alles stroomt er pats! doorheen, het schitterendste licht doorstroomt hem. Hij hoeft het niet te bewaren, nee nergens voor nodig, het komt fonkelnieuw steeds weer door hem heen gestroomd.

Naast de lichtvlek, het gat van licht in de lucht, hoort hij iemand spreken. De taal komt hem bekend voor. Het is taal van woorden die hij weet. Richt de man zich tot hem? Hij heeft zich verkleed als een gewone sterveling, zegt hij dat? ja het moet wel, hij hoort het zelf. Vanwege de oorlog heeft hij zich vermomd als mens, de man. Ja hij is niet gek hoor! hij wenst door de vijand niet herkend te worden. Toch is hij wel degelijk de radja van Siri-Sori, verzekert hij.

Hij draagt een djas toetoep, een hooggesloten herenjas, hij draagt 'm met rechte rug. Net zo recht als bapa, denkt Izak. Maar bapa is geen prins, bapa is een soldaat.

En jij? vraagt de man, de prins, wie ben jij?

Izak zegt: ik ben Izak.

En verder?

En verder wat? denkt hij.

De man zegt: ik ben prins Said Printah, de radja van Siri-Sori, en zij (hij wijst in het licht boven hem), zij is mijn dochter, prinses Nesrine.

Hij laat de teugels van het raspaardje, volbloed arabiertje, los om te wijzen waar het ligt, dat Siri-Sori van hem. Nee niet hier, niet achter deze bomen, neenee, ook niet achter die bergen, nee, verder nog. Waar is het Oosten? Hij zwaait met zijn vrije arm, met de ander steunt hij nog steeds op zijn geweer, als op een stok. Weg bomen! weg jullie! anders kan ik niet zien, niet ver genoeg. Op het eiland Saparua is het. Daar! Hij prikt met zijn gekromde vinger tegen Izaks borst. Bij het eiland Ambon ja. Dat ken jij toch, jij bent toch ook een jongen van daar? Van het rijk genaamd Maluku Selatan, verstrooid over de zeeën waar de zon opkomt, de rozegerande morgenzeeën aan het begin van de wereld? daarvan ben jij toch ook, daarvandaan?

Hij gaat mij thuisbrengen, het schiet door Izak heen. Hij is gezonden om mij terug te voeren tot mijn voorouderen, de nenèk-mojang, zij vangen op zee de vissen met hun blote hand.

Nee! schreeuwt het ergens diep in hem. Nee! ik wil niet terug naar daar! Hij wil zeggen: toean radja, ik moet, ik ga de piano van njonja halen, ik heb het beloofd. Hij wil uitleggen: de hatelijke Japanners hebben hem uit njonja's huis gestolen, zij hebben hem naar de Krokodillenstad vervoerd. Maar hij schreeuwt niet, zegt niets, wacht gehoorzaam af.

Hoe heet jouw keloearga? vraagt de prins. Misschien ken ik jouw verwanten.

Izak vindt het moeilijk om zijn naam bekend te maken, alsof hij kwetsbaarder wordt wanneer vreemden weten wie en waarvandaan hij is. Hij kijkt omhoog naar het meisje Nesrine, staart in het verblindende licht.

M***, zegt hij.

M***, zegt de prins, M***, hij proeft de klanken. Hij humt. Verder niks? Izak schudt zijn hoofd. Hm, zegt de prins en vraagt dan: welke is jouw satoe kampong?

Izak somt op wat bapa hem heeft geleerd, hij somt de namen op van de families van bapa en iboe, van hun beider kampongs, hun beider pela's, het is een hele lijst. En als hij klaar is roept de man, de prins: hé, nee maar! dat zijn bekende jongens hoor! ik ken ze niet, maar ik weet ze wel.

Ik heb ze uit mijn hoofd geleerd, toean radja, ik ken ze zelf heus ook niet hoor.

De prins zegt: jouw vader zeker soldaat in dienst van Belanda? zeker gevangengenomen?

Izak denkt aan de Kenpetai, de machtige slachters van Djepang met hun zwaarden van een meter lang, zij hakken de koppies d'raf of 't balletjes zijn, zij hakken met het scherpst van de snede, zij slaan de balletjes weg met de platte kant, voor de lol, zij kastieballen de koppies de verte in. Nee, dat is niet goed voor bapa. Nee, zegt Izak, mijn vader is in de bergen gegaan, hij voert oorlog in de rimboe, hij komt pas terug als het over is.

Tss! sist de prins opeens. Hij grijpt zijn geweer, houdt het met beide handen beet. Izak schrikt, blijft hem aankijken, wil op het gezicht betekenissen lezen.

Said Printah heft zijn kin, als een hond, een waker. Hij draait een beetje naar links, naar rechts; zijn oren, zijn neus, ze zoeken de bries die een geluid naar hem toe kan dragen, hem kan influisteren wie of wat er nadert.

Sst! gebiedt hij en laat hen allemaal, ook het paard, zonder te ritselen opgaan in het gebladerte.

)(

Ze houden hun adem in, nee ze zijn er niet. Zelfs het paard houdt zich stil, stiller dan een boom. En net zo groot! zo'n paard, als een boom. Prinses Nesrine is afgestegen, in een bosje gekropen, helemaal van takken en bladeren geworden is ze. Zelf ligt hij plat op zijn buik, zijn oor en zijn wang tegen de lauwe, vochtige aarde. De prins zelf ook, die ligt er ook zo bij. Hij zegt, prins Said Printah, dat hij op die manier met zijn oor onder de grond, in het binnenste van de aarde, voetstappen kan horen dreunen tot minstens een kilometer verderop.

Izak niet, zijn oor kan dat niet. Hij voelt alleen de wriemel van vieze beestjes. Hij hoort niks, ziet niks. Hij ligt en ligt daar maar, vergeet langzamerhand dat hij er is.

Hij droomt dat hij een boom is, een kleine boom, een bosje nog. Hij voelt hoe de blaadjes zijn wangen strelen, hoe de takjes zachtjes kriebelen, totdat 't te lang duurt, 't niet meer lekker is. Een zuchtje van een briesje komt langsgestreken en weg is het onlekkere geveegd, en opnieuw kan hij gaan voelen hoe de blaadjes, de takjes hem voorzichtig aanraken, aftasten.

Gaat Said Printah zo dadelijk schieten? als de vijanden eraan komen? schiet hij ze dan dood? Het geweer ligt op de grond, Said Printah heeft zijn hand erop, zijn donkere hand met de gouden ring, de bloedrode robijn. Stil maar, gebiedt de hand, wees maar stil.

Maar er is niemand, toch? Izak hoort niks, nergens mensen. Hij denkt aan de doden in de desa, was 't zoëven of al lang geleden? de dode bruiloftsgasten die verbrand gingen worden en begraven, die bleven liggen toen zij zijn weggegaan. Hoe zijn zij doden geworden? geschoten met het geweer van Said Printah? Hij weet zeker dat toean radja mensen doodmaakt als het moet, kapotknalt met zijn geweer.

Het prinsessebosje ritselt af en toe, hij ziet nu goud blinkeren tussen het groen, satijn, een handje. Zij kan zich niet stil meer houden, het meisje Nesrine, zij gaat zich vervelen, te lang zeg! duurt het verstoppertje, zij wil haar glanzende zwarte haar uitschudden, uitademen wil zij in de hoge blauwe lucht, met haar snelle arabier in volle vlucht, ongrijpbaar.

Hèhè eindelijk. Als de prins met zijn tong klakt komt iedereen te voorschijn, ze mogen weer, Izak schrikt ervan hoe mooi zij is, ja nu pas ziet hij haar echt, ziet hij hoe donker glanzen haar ogen, hoe roze vanbinnen haar lippenmond, warm en levend, haar huid van kaneel en vanille, hoe dichtbij zij is, prr! een beetje bang wordt hij ervan. Hij wil haar niet zien, liever niet hoor! Hij kijkt maar steeds naar de prins omhoog of naar het paard, ook mooi, het paard, met zijn millimeterdunne vacht waaronder aders bliksemen.

Said Printah zegt: ik weet een man hoort niet te strijden met een vrouw aan zijn zijde, maar tsjah jongen, ik kan haar toch niet thuislaten, ik kan haar toch niet alleen laten tussen andere mannen? bij voze vreemden? Ik ben haar vader, ik ben de enige, alleen bij mij is zij veilig.

Nesrine vertelt: mijn toean bapak heeft met een tijger gestreden, bapak was een jongen nog, toen, edoch na het gevecht was hij een man.

Izak wil ook iets zeggen. Hij denkt aan de slang, hij heeft hem jammer genoeg niet zelf gezien, hij herinnert zich alleen het wakker schrikken, de vuren die diep in de nacht opflakkeren, het geschreeuw.

Nesrine gaat voort: de tijger was het dorp binnengedrongen, hij had de vetste karbouw gedood, de ingewanden hingen als slingers in de bomen. Het bloed droop van de takken, wat groen was werd rood. Ook de aarde kleurde rood.

Ze kijkt haar vader aan, zoekt zijn blik, maar het lijkt hem niet te interesseren.

Izak houdt zijn blik op de grond gericht, probeert zich de bloedende bomen voor te stellen. Met zijn tenen wroet hij in de zwarte aarde. Hij wil zeggen dat hij in de desa dode mensen heeft gezien, maar hij durft het niet, hij durft niet eens zijn ogen op te slaan.

De dappersten van het dorp renden de tijger achterna, diens spoor een bloedspoor van opengereten vee, zij zwaaiden vervaarlijk met hun bamboesperen, telkens wanneer zij de slierten van hun eigen huis-, tuin- en keukendieren zagen glinsteren op hun pad, zij wilden de tijger met de scherpe punten tombakken tot hij zou sneven in zijn eigen bloed, de mannen stieten ijselijke kreten uit, zo formuleerden zij hun angst.

Maar mijn bapak was niet bang, hij was een prins, ook toen al ja, hij schreeuwde niet, hij sloop heel stil, heel snel, als een kantjil, hij had geen sporen, geen paden nodig. Hij volgde niet, hij ging vooruit. Als eerste bereikte hij de top van de berg en daar, achter een rotsblok, wachtte hij de tijger op.

Het duurt en duurt, denkt Izak, hij vergeet de tijger, er is alleen het wachten, hij weet wat wachten is.

Dan ja hoort hij iets, mensen zijn het, gelukkig. Hij kijkt langs de helling naar beneden, daar ja, daar komen ze, de dappersten der mannen. Maar de tijger ziet hij niet, waar is die gebleven?

Daar! recht boven je! bukken! snel! waarschuwt Nesrine ineens.

Wat? waar? Izak schreeuwt het uit van angst, hij schrikt van zijn eigen geluid.

De tijger sprong op mijn vader af, zegt Nesrine, een enorme schaduw kwam over hem geschoven, slokte hem op. De hemel werd duister, de vogels hielden op met zingen, het gras viel plat van schrik. De tijger brulde als onweer, zijn druipende muil kierde open, de spartelende tong een beest binnen het beest, de jongen kon rondom de dikke vleeslel alle vuile tanden tellen tot aan de stinkende kiezen toe.

Maar klein maakt de prins zich, klein! hij is nog een jongen, vandaar, steeds kleiner wordt hij, het prinsje maakt zich zo klein dat de tijger hem niet kan grijpen, bijten.

Sneller dan de wind! keert hij zich, in een flits! rolt hij onder de tijger vandaan, grijpt met zijn rechterhand de kris, de kris poesaka jazeker! van zijn overleden vader, hij mag hem nooit gebruiken, niet om een papaja of een doerian mee te schillen hoor! vervloekt zijt gij die schilt! alleen om de opdracht te vervullen, ja dan mag de kris van haat blikkeren in het felle licht. Hij denkt niet, hij steekt en steekt, tsjak! tsjak! zo in het taaie rauwe vlees. Hij steekt zo hard, zo vaak hij kan.

Het hete tijgerbloed spuit in zijn gezicht, brandt in zijn ogen. Telkens als hij de kris lostrekt om opnieuw te steken, spuit het bloed eruit.

Izak voelt het gifbloed prikken in zijn eigen ogen, hij wrijft het er gauw uit. – Maar het verhaal gaat anders.

Said Printah, zingt de prinses, gunde zich de tijd niet zijn gezicht schoon te vegen. Zodra hij bemerkte dat hij de tijger gedood had, zocht hij in het niemandsland van de hemel de richting van de Profeet en zeeg neer in gebed om Allah insjallah! te danken voor de overwinning die Allah akbar! hem had gegund.

Hij schaamt zich een beetje, Izak, dat Nesrine hem verbeterd heeft, een mannetje van niks is hij, hij kan niks verzinnen ook. Hij kijkt en kijkt maar kijkt haar net niet aan, hij wou zo graag dat hij ook zo mooi kon vertellen.

Dan komen de anderen, de mannen van het dorp, de dappersten, zij komen met hun bamboespiezen, zij maken een kooi rondom de tijger, Allah akbar, moge de tijgerwoede in de dappere mannen varen, Allah insjallah, zij schoppen de tijger in zijn zij, hij brult, terkoetoek! hij gaat weer levend zijn! hij zal zich aan wraak te buiten gaan! heb erbarmen met de dappersten der mannen! zij klimmen in de bomen, voor de zekerheid, zij heffen hun witte voetzolen hoog in de lucht.

Maar nee, het is de laatste adem, de tijger brult uit de diepte van zijn duistere ingewand zijn laatste adem uit, hij groet de prins en ook de mannen in de bomen, hij houdt hen allen voor gezien, in dit leven dan.

Hondsboos schudt hij zijn hoofd, Said Printah. Onzin! schudt hij. Onzin. On-zin. Ón zin. Jongen jongen, jouw vader vecht niet in de bergen, jongen. Hij is slaaf gemaakt, alle soldaten van Belanda zijn slaaf gemaakt, zij moeten bukken om slaag te krijgen, zij worden gerost en geschopt, de orang Djepang slaan hun handen rauw op de gekromde ruggen. Zo ja!

Nietes! denkt Izak. Nietes, Said Printah! Mijn bapa niet, Molukkers zijn vechters hoor! zij zijn soldaten van God, zij dienen de waarheid, zij marcheren precies in de pas, zij stappen nooit mis. Hij denkt het, hij denkt het zo hard hij kan. Maar hij zegt het niet. Said Printah heeft tijgerbloed geproefd, zijn woorden branden op zijn tong, pedis zijn ze hoor! zo scherp als peper, daar durft hij niet tegen in te gaan. Laat ze branden, denkt hij, laat ze branden tot ze weg zijn toch.

Said Printah steekt zijn geweer in de lucht. Ik ben de enige Molukker die vecht, die terugvecht, schreeuwt hij. Onoverwinnelijk! ben ik, ik ben de bevrijder, ik ga Siri-Sori, ik ga heel Saparua, ik ga alle Molukse eilanden, de kleine en de grote! ik ga ze allemaal vrij maken tot zover de zeeën reiken ja.

Aan het eind van de zee begint de hemel, weet Izak, de hemel is blauw omdat hij uit de zee omhoogkomt.

Nesrine, van boven, vanaf haar rijpaard, heeft 't nu wel gezien, klakt met haar tong.

Gaan we nog?

Hij moet naar de Krokodillenstad zegt hij, Izak, hij heeft het beloofd zegt hij, hij is het aan njonja verplicht, noemt de piano. Hij overweegt de sleutel te laten zien, als bewijs, doet 't niet, bang dat de prins hem afpakt, zomaar, gewoon omdat hij de baas is.

Ze kennen de stad, jazeker, maar van een bepaalde piano daarginds is hun niets bekend.

Zwart, zegt Izak, en heel groot is hij, je kunt eronder kruipen, in de kolong zitten. Hij denkt: als je je eronder verschuilt, en als njonja dan speelt, dan regent de muziek op je hoofd.

Groter dan dit paard? vraagt Nesrine. Ze krauwelt met haar vingers onder de manen, zoekt het zachtste plekje.

Groter ja, hij zegt 't maar hij weet 't niet zeker. Breder ja, denkt hij, maar toch ook lager. Veel groter, zegt hij daarom voor de zekerheid, veel en veel groter.

Wat moet een jongen van Ambon met een piano? De prins vindt 't maar raar, hij zegt: een gitaar, is dat niet iets voor jou? Die hoef je niet te zoeken in een verre stad, die neem je overal mee op je rug.

Hij, de prins, zegt, hij kent een man met een gitaar, die zingt het lied van Pattimura uit zijn hoofd. Ken jij dat, jongen? Nee, schudt Izak stilletjes.

Er is veel over hem verzonnen, zegt Said Printah, maar ook wat ze hebben verzonnen is waar. Pattimura is groter dan de mensen zich kunnen voorstellen.

Het is een heel mooi lied, vertelt hij, het lied van de gitaar, het gaat over een held, hij wordt opgehangen, maar zijn droom kunnen zij niet doden. Kun je de wind doden, het blauwe licht van de maan in de nacht? Izak weet het niet, hij denkt van niet, maar durft niks te zeggen. Kun je de geur van tjengkeh doden? De golven, de wolken, de wolkenloze lucht? De prins bedenkt steeds nieuwe. De klank van gitaren op het strand? De dag van morgen? waar is de vieze vuile witte Hollander die hem dood kan slaan? waar is die dan? Izak! zeg 't me, jongen. Hij balt plots zijn vuist, vonkend zijn zwarte ogen. Vrij zal Saparua! vrij zal Ambon! en vrij zullen Seram, Haruku en Nusalaut! vrij zullen alle Molukken zijn. Tjaktjak, suizen de klewangs, takka, hakken de krissen. Bloedrood kleurt de zee, als hun zon voor altijd ondergaat. Pattimura hangt aan zijn nekkie ja, maar hij is een rijpe vrucht om te peuzelen!

𝄞

Said Printah gaat mee die kant op, zegt hij, naar Krokodillenstad, kan hij ginds meteen de kazerne beroven, een goed idee, zegt hij, baik sekali, een partij wapens kan geen kwaad.

Het paard gaat lopen en alles zet zich in beweging. Als een wajangpop, je trekt eraan. De beweging zet zich vanzelf voort, gaat door het paard, door prinses Nesrine, haar heupen, haar middel, het wiegt en deint, haar hoofd van links naar rechts, van de ene schouder naar de andere, haar smalle handen tekenen sierlijke figuren in de lucht, ze schrijven: zo zou het zijn liever als je goed had opgelet.

Izak probeert naast het paard te lopen, naast haar dus, maar het is smal hier, er zwiepen, striemen steeds takken in zijn gezicht, hij wordt naar achteren gedrongen, achter het paard komt hij terecht, hij hoort het snuiven, hij ruikt de damp, de paardendamp die van de kont af komt. Anders ineens is het hier in de achterhoede, weg zijn de arabesken van de prinses, hij kan zo vertrapt worden, als het paard niet oplet, of schrikt en met zijn hoeven slaat.

De prins loopt fier voorop, hij tettert zijn mooie praatjes zo! de bosjes in, huppakee weg, Izak kan er geen woord van verstaan. Hij is blij om even niet te hoeven horen, even niet te weten. In de verte krijsen slingerapen, kwetteren vogels. Onder zijn voeten veren de takjes weer op, er is er geeneen dat breekt. Zacht en spoorloos gaat hij, hij is iemand die hier nooit is geweest.

Straks, hoort hij Said Printah zeggen, als ik mijn leger heb. Izak schrikt op. Als ik aanvoerder der machtige Molukkers ben, verkondigt de prins aan alle bladeren die hij tegenkomt, hij heeft zich naar de achterhoede laten zakken, is naast hem komen lopen. Nu leid ik niemand, hij heft zijn handen ten hemel, nou ja, ik heb jou natuurlijk, zegt hij, jij bent mijn soldaatje. Niet dat hij hem aankijkt, nee hij kijkt dwars door hem heen. Maar straks jongen! en weer gaan zijn handen fladderend, schilderend opwaarts, straks ja! wanneer de hemel in tweeën splijt en wanneer de sterren verdwalen, alzo bazuint de Profeet in de rondte, straks ja, wanneer de zeeën bulderen van hola! hopa! en de graven worden geopend, dan ja, dan! ja dan ja!

Het is allang geen pad meer waarop zij gaan. De takken zwiepen in hun gezicht, veren terug, als het paard in het groen verdwijnt, de prinses, hoog boven, is al niet meer te zien. Achter hen sluit het bos zich geruisloos.

De prins wil een trein laten ontsporen, hij zegt als men alleen ten strijde trekt moet men vernuftig zijn. Izak denkt, hij weet niet wat hij moet denken. Ze gaan de kazerne van Krokodillenstad beroven, ze gaan een trein over de kop laten gaan, zij gaan het doen, de prins en hij, het soldaatje van Ambon, met zijn tweeën ja. Said Printah zegt een trein vol vijanden wordt een kronkelende slang, kronkelend van pijn.

Maar bapa radja! en de onschuldigen dan? Nesrine spreekt vanuit haar onzichtbare hoogte, haar stem een vogeltje, het komt op hen toegevlogen, op lieve zachte vogelveertjes. De onschuldige kinderen zij zullen toch gered worden, hè?

Izak denkt zich een trein, grote locomotief is tjoeke-tjoeke op weg naar Krokodillenstad, de wagons vol kinderen, ze puilen eruit. Ze hangen uit de ramen, joelen, ze weten niets van de kronkelende slang. En maar zwaaien naar de papegaaien in de bomen, en maar wijzen daar! daar! zie je dat? ze gaan ergens heen waar ze nooit zijn geweest.

Said Printah kijkt ernstig, het lot van de kindertjes ligt in zijn handen, hij zucht, zuigt dan zijn longen vol. Pattimura! brult hij, vogels verderop vliegen klapwiekend takkenkrakkend op. Het prinsengebrul klinkt als een kreet ten strijde, een afgesproken aanvalssein.

Zijn ze al bij het spoor dan? is het al zover? Izak heeft niets gehoord, geen tjoeke-tjoeke, niks, geen stoomfluit, geen tssssjjj.

Pattimura! hij heeft de jongen gespaard ja! Nee alsjeblieft, piept Nesrine, niet weer, bapa radja! toe, niet weer het oude heldenliedje.

De prins ziet haar niet, hoort het niet. Kin omhoog, blik in de ruimte, hij leest de boomkruinen, de wolken. De zee, leest hij, de zee rondom Saparua, zegt hij, werd midden op die dag rood alsof de avond viel, rood en vol van het bloed dat de doden niet meer nodig hadden, maar de jongen bleef gespaard ja! De zoon van de vervloekte gouverneur, allahoe akbar! de toean totok Van den Berg, la ilaha illallah! Daar stond hij, de jongen van zes, in het bloed en het ingewand zijner vaderen, maar de kromme klewang slachtte hem niet, de hand was genadig.

Izak begrijpt er niks van, hij knikt jaja als de prins naar hem kijkt, zijn blik op hem laat rusten, Izak denkt hij stelt hem teleur.

Maar Pattimura zelf, zegt Said Printah opeens, alsof het hem nu te binnen schiet, Pattimura zelf nee hij bleef niet gespaard, onze eigen jongen Thomas Matulessy. Hij werd aan een touwtje gehangen en het kleine overblijfsel ketjil Van den Berg keek toe, het keek en heeft hem niet gered.

Bapa? Nesrine schudt haar hoofd, haar blauwzwarte haren, ze draait zich, zo slank zo sierlijk, op haar paard, ze draait zich om. Als het steeds zo slecht afloopt, bapa besar, waarom vertelt u het dan telkens opnieuw? Dat is toch zielig toch?

Je weet het niet, anak mas, je weet het niet. Steeds moet het verhaal verteld worden, steeds opnieuw, en ooit zal het goed aflopen, echt wel, dat koekje kunnen de Hollanders alvast eten hoor.

X

Ze lopen en lopen en worden toch wel moe. Said Printah speurt tussen de varens naar vijanden, met het geweer op de rug, hand aan de klewang, hij bukt, raapt, pluist, hij houdt zijn oor tegen de warme, vochtige grond, hij ruikt verderop aan schors, hij spiedt achter de groene schermen van de waaierbladeren.

Hier, zegt hij ten slotte, hier hier en hier. Met zijn hak wroet hij in de grond, eigent zich plekken toe. Hier ja komt het paleis te verrijzen, hier komt het bed te staan waar de doorluchte prinses van Siri-Sori haar beide oogjes toe kan doen.

En u ook, bapa besar.

Hij klakt met zijn tong, laat zijn wijsvinger vermanend cirkelen. Ik zal slapen met één oog, ik weet nog niet met welk, het andere zal waken totdat de nieuwe dag de oude overbodig heeft gemaakt.

Izak weet niet wat een paleis precies is, hij heeft horen vertellen van de kraton van de sultan van Djokja, maar hij heeft nooit geweten wat hij ervan denken moest.

Het begint met stokken in de grond. Dan worden er lappen te voorschijn getrokken, Said Printah trekt ze zo van het paard, onder de billen van Nesrine vandaan, ikat, batik, ook geknoopte tapijten met de wonderlijkste voorstellingen, het paard wordt lager en lager, Nesrine kan al bijna met haar voeten op de grond, o nee ze stapt af, dat is het.

De prins hijgt, hij sjort aan de lappen, de doeken, de kleden, ze zijn bijna te groot voor hem, ze gaan helemaal over hem heen, hij maakt een berg van kleuren nee een vierkant of hoe heet het, het wordt een kwibus van kleuren, van figuren, je kunt ze lezen, Izak ziet strepen en hoeken en cirkels, hij ziet vissen, bloemen, planten, paarden met soldaten erop, branddende vuren, sterren, kevers, vliegen, torren.

Nee, nu ziet hij het! het is geen berg geen vierkant geen kwibus van stof geworden, hij ziet het als de prins een doek opzijschuift. Een pondok is het, het paleis is een hut met kleren aan.

Hij wil naar binnen gluren. Awas, jongen! Said Printah sleurt hem ruw aan zijn schouder weg. Dit is een vrouwenpaleis, taboe hoor! kom, wij gaan buiten blijven.

Ik weet wat beters, zegt de prins, wij gaan jagen, de mannen gaan uit jagen in het woud. Levende dieren spieden, kijk daar zit er een! en die dan pang! kapotschieten. Ja jij en ik gaan lekker beestjes knallen die gebakken kunnen zijn, we knallen ze zo uit de bomen, die doeraks! jongen. Ze moeten ons niet gaan uitlachen. Tsjii-iii! tsii-iii! lacht het rijstvogeltje. Pang! een beetje rustig vriend, wij hebben honger hoor.

Said Printah noemt de vogeltjes, hij somt ze op. Perkoetoet. Deroek. Tekoekoer. Hij noemt ze bij hun roepnaam, want hij kent ze persoonlijk, de tortel, de krakvogel, de houtduif, hij heeft ze namelijk thuis zelf ook, vertrouwt hij Izak toe.

Nesrine trekt zich achter hen terug in haar lappenpaleis, maar zij zien haar al niet meer, zij sluipen, zij loeren in het groen.

Izak weet niet hoe hij de beestjes moet schieten, hij heeft alleen zijn blote handen. Daar heeft nooit iemand van gehoord, een vogeltje vangen met je blote handen, ja dag hoor. Ergens in zijn hoofd is er het zout, zal hij het Said Printah vertellen? het verhaal van het zout op de staart, je moet het daar strooien, dan kunnen ze niet meer opwippen, ze kunnen niet meer sturen, ze keilen met hun koppie zo tegen de vlakte jongen! maar het is heel moeilijk om dichtbij te komen, dat lukt bijna niemand, de vogeltjes laten zich niet strooien, niet gauw.

Said Printah neemt niet zijn geweer. Het geweer blijft op zijn rug. Ha! hij diept uit zijn zakken iets op, Izak ziet het niet goed, hij kan het niet geloven, het is een gewone katapult. Nee het is geen gewone, het gevorkte hout is bewerkt, er zijn fijne figuren in te lezen, dieren die gedood zijn misschien. Misschien zijn de gedode dieren in de tjagak gekerfd om daar te blijven.

Hij zegt, Said Printah, ik ga de beestjes niet met het schietgeweer doen, dat is zonde toch. Elke kogel is een gedode vijand, zij hebben 't verdiend, zij staan ergens op mij te wachten jazeker! dan ga ik het toch niet in zo'n klein vogeltje mikken? ik ga mijn kogels heus niet aan de vogeltjes voeren, mooi niet jongen! ik ben niet gek hoor, echt niet.

Izak knikt, maar hij weet niet of ja verkeerd is, dus knikt hij met zijn hoofd een beetje schuin, het is dan ja met ook een beetje nee.

Sst! De prins houdt zijn wijsvinger gestrekt, hij legt hem tegen zijn getuite lippen, geen woord, nee geen woord mag eruit.

Jaja, knikt Izak, hij bedoelt neenee, of nee, jaja hij begrijpt het.

De prins gebaart met inhalige handen: laat de beestjes maar komen, laat de vogeltjes maar tot mij komen. En sst! weer de wijsvinger.

Als de dag wordt opgegeten door de nacht, letten de dieren niet goed op.

Ze zitten gehurkt tussen de varens. Alsof ze verstoppertje spelen. Zou Said Printah dat bedoelen? dat de diertjes hen moeten komen zoeken. Kom kom kommertje, vind ons dan als je kan! zingt het in zijn bolletje, koppie krauw, kom maar gauw, ik heb lekkere melk voor jou. Hoor ze zingen, hoor de vogeltjes zingen, zij verstoppen zich ook, zij verschuilen zich achter de bladeren, ze zingen, ze tjilpen, ze fluiten, ze kwetteren erop los, ze doen net of de jagers er niet zijn, ze doen gewoon hun eigen zin.

Maar ze laten zich niet zien.

Laffe padjakkers! roept Said Printah, het duurt hem te lang. Het zijn vogeltjes van niks, zo lust ik ze niet, nee zo vliegen ze mij niet in de mond hoor!

Daar gaat hij geen moeite voor doen, heus niet. Said Printah heeft iets beters bedacht, hij weet een klapperboom, die hangt zo vol, die trekt er krom van als een lange pisang. Ik ga de kokosnoten schieten met de katapult, zegt hij, dat ga ik doen, ik ga die klappers een voor een op ons matje roepen. Lekker toch? Je moet wel wegduiken hoor, jazeker jongen! anders tikken ze tok! op jouw koppie.

〤

Als Izak wakker wordt, is het nog donker. Naast hem, voor de ingang van de tent, ligt Said Printah te slapen, hij ligt op zijn rug, als een omgevallen wachter, hij omhelst zijn geweer, het uiteinde van de loop kust zijn wang. Of is hij ook al wakker, ligt hij naar boven te kijken? denkt hij ook: waar blijft het licht? De dag is onzichtbaar begonnen, fluistert de prins met zijn diepe, zachte droomstem zijn nachtstem, hoog boven de bomen is hij al begonnen, ergens daarboven wordt al op ons gewacht. Je denkt zeker dat het sterren zijn, zie je die fonkelingen? maar het is de lichtschittering tussen de bladeren, jongen, het schitterende daglicht. Het is alleen nog niet hier, het moet ons nog zien te vinden hier dicht aan de grond.

Achter de kleden, kleurig als Perzische tuinen, schuifelen de eerste geluiden rond; de tent is in het ochtenddonker een homp, log als een slapende olifant. Het oog ziet niet goed, maar het oor dringt moeiteloos door het donker heen. Ja, het prinsesje rekt zich uit, het kamt haar haar en neuriet een ochtendlied, blauw als lucht, er tjilpen krekels er tjiepen vogels in de honingzoete mangaboom.

Het is alsof de dag op haar heeft gewacht, haar zachte lippen, alsof het licht nu pas weet waar het moet zijn, het licht spat spettert door de bladeren heen, het fonkelt het knettert, het explodeert en dwarrelt in honderdduizend deeltjes op de dingen neer. In een boom begint een aap te schreeuwen, een vogel kleppert, even is het weer stil, dan gaat het los, het bos begint te leven, te krijsen, het zingt, roept, ratelt zich uit een verdoving los.

Selamat pagi hari! De prinses verschijnt in de opening, goeiemorgen allemaal! ze kijkt hem aan, ze straalt recht in de ogen van Izak, ze lacht, hij schrikt. Van haar, van zichzelf. Daar komt het paard aanlopen, bijna vergeten! het loopt blij op haar toe, het briest zijn lippen flapperen. Ze klopt het op zijn hals, zijn flank, dag jongen ben je daar weer? Het beest schudt met zijn hoofd, krabt met zijn hoef in de vochtige aarde.

Said Printah zit op zijn knieën, het hoofd naar beneden, de koninklijke kont omhoog. La ilaha illallah! Dan staat hij op, veegt zijn knieën schoon. Hij kijkt om zich heen, schopt de resten van het vuur uiteen, trapt de scherven van de kokosnoten onder de varens. Hij breekt de tent af, Izak helpt met vouwen.

Gaan we? vraagt Nesrine.

Ja, we gaan.

X

Ze dalen de helling af, voorzichtig, het paard glijdt telkens bijna uit. Said Printah houdt het bij de teugels, kort bij het bit. Ho! Rustig maar, beestje.

Daar ergens beneden weet de prins een spoorlijn te liggen. Dat moet 'm zijn, ik ken er maar een, ja het is dezelfde, ik heb 'm ooit op de staatsie van Semarang gezien, ik moest daar twee dagen wachten jongen, maar de trein kwam niet hoor! ik heb daar alle spoortabellen van buiten geleerd, alle tijden, alle haltes, ik weet precies hoe laat ze komen! die doeraks! als ik weet hoe laat het is, dan heb ik ze!

Dat weet Said Printah zeker als een klontje. Alles is geschreven, zegt hij, alles is voldongen, geen mens is ooit ingehaald door zijn eigen voetstappen ja.

De veiligste manier om een trein te laten ontsporen is: alles opblazen, zegt hij, daar zijn bij onszelf vele voorbeelden van bekend, een staaf dynamiet onder de dwarsligger leggen en... knál!!! jongen, de hele spoorlijn trekt een krulletje.

Lieve bapa, we hébben geen dynamiet, zucht Nesrine, dat weet je toch?

Wacht jij maar! wacht jij maar kalmpjes tot ik het arsenaal van de kazerne in de Krokodillenstad heb gekraakt, die jongens hebben knalstaven hoor! die hebben kisten vol, die liggen daar gewoon te wachten weet je.

Maar bapalief, we hebben ze nú toch niet?

Dat is een kwestie van tijd, dat is toch volstrekt onbelangrijk. Ze zullen er zijn, daar gaat het om, dat staat geschreven in de tekenen, de dynamietstaven zullen in onze handen zijn, zij zullen knoerthard verkondigen onze naam, zij zullen onze vijanden diep in de stilte werpen, deze zullen geen armen hebben om hun benen van het slagveld op te rapen.

Zonder armen kunnen de soldaten van Djepang niet mooi spelen op de piano toch? zij kunnen hem beter teruggeven aan njonja dan, Izak flapt het eruit.

Jouw mevrouwtje uit Holland zal zweten in haar graf! nog geen duizend piano's zullen de lasten van hare schouderen kunnen werpen, haar schuld bloeit als duizend distels op het hete stenen pad dat derwaarts leidt.

Izak denkt dat hij het niet goed verstaat. Njonja zwetend in een graf? over de schouder geworpen piano's? de woorden rollen alle kanten op, als kralen op een houten vloer.

Onze vijanden zullen onze vijanden verslaan! de een de ander ja! Said Printah grijpt naar het kunstig bewerkte heft van zijn klewang, grijnst dreigend. Djepang, Belanda, Djawa, zij zullen elkaar slachten in machtige strijd, zij zullen hun lot zelf volvoeren, hun bloed zal het deuntje blazen waarmee wij onze vrijheid begroeten, ja wij zullen het oeroude liedje weer in het koppie stampen! het liedje dat de wind fluistert als de avond valt, het maanlicht op zee de slapende zilvervissen laat glinsteren zonder ze wakker te maken, het liedje ja dat door een echte Molukse jongen met de ogen dicht gezongen wordt.

Maar Izak hoort het maanlicht niet, hij denkt aan het bloed van njonja, het bloed van bapa, hij durft er de prins niet naar te vragen. Hebben zij pijn, denkt hij, bloeden zij van de pijn? Hij weet dat het erg moet zijn, toch voelt hij niets. Het is hun pijn, denkt hij.

Hij vindt het moeilijk om over hen na te denken.

Ze zijn niet hier, njonja en bapa, en omdat ze hier niet zijn is het net of ze nergens zijn.

Als ze maar ergens zijn, denkt hij, als ze nog maar bestaan

en ik ze kan vinden, dan is hun verdriet misschien al over wanneer ik ze vind.

✕

Said Printah heeft de spoorlijn gevonden, hij ziet hem allang als Izak nog tussen de bomen naar beneden tuurt, de prins wijst daar! daar! maar Izak ziet het niet.

Ik heb hem, glundert de prins. Zei ik het niet? Ik ken hem wel hoor die jongen, ik heb hem lang geleden al in Semarang gezien, hij ontkomt mij niet, dat mag hij dromen ja.

Hij gaat! hij gaat eropaf. Zonder achter zich te kijken trekt hij het paard mee de helling af, de hoeven glijden weg in de rulle, vochtige bosgrond, Izak denkt straks kukelt de prinses er bwamm! vanaf, ze zit helemaal scheef, hij denkt loopt een prinses nooit zelf? ze piekert er niet over, dat zegt ze niet zelf, dat zegt haar hele figuur, als ik eraf val, tillen ze me maar weer op, dat is dat.

Pas als ze helemaal beneden zijn ziet Izak het, de overwoekerde rails, een verborgen pad tussen het gebladerte. Je moet goed kijken, anders zie je niks.

Hij sluipt tussen de bomen door, die doerak, daar gaat ie! roept Said Printah, Izak kijkt kijkt waar? waar? Onder grassen en plantjes kruipt hij, de prins wijst, je ziet hem niet gauw hoor! hij is handig, hij doet net of hij er niet is, maar ik ben ook een slimme jongen, dat mag hij weten!

Hij plant één voet stevig op het roestige stuk ijzer, alsof hij vreest dat de spoorlijn hem anders alsnog ontsnappen zal. Een jager, de buit binnen, wachtend op de fotograaf.

Wat voor dag is het? Als ze mij de dag vertellen, kan ik vertellen welke trein er komt.

Izak kent alle dagen, hij weet alleen niet welke er nu bedoeld wordt.

Toen we een keer naar de pasar gingen was het dinsdag, oppert Nesrine.

Ja, zegt de prins dat herinner ik me ook, het was een ochtend ja! we kochten lapis en spekkoek en wadji, van een oud moedertje, zij zei lekker hoor! jazeker, wij gingen smullen, de hele dag hebben wij ervan gesmuld toch? Mmm, sedap jongen.

Ik weet 't niet, bapa, mijn hoofd zegt van wel maar mijn mond weet van niks. En als ik er goed over nadenk, en dat doe ik hoor! dan ben ik elk hapje precies vergeten.

De prins luistert niet, hij kijkt naar de lucht, hij spiedt in het blauw. Het gaat een hete dag worden vandaag, hij voorspelt het, en de heetste dagen vallen altijd op een zondag, dat weet iedereen ja die een béétje heeft opgelet.

Izak knikt, hij weet het ook, knikt hij.

Op zondag gaat hij om twaalf over het heel, ik heb hem in mijn hoofd hoor, hij is vertrokken, die doerak! De prins weet 't zeker. Laat mij even rekenen, als de grote wijzer om het heel vertrekt, dan is hij na twaalf minuten waar hij wezen moet, precies, zo is het! en dan eerst 't klokje rond ja. Allah akbar! dat betekent warempel, ja hoor! hij kan hier elk moment zijn, die brutale jongen!

Ik ga even luisteren, zegt de prins. Hij bukt, hij gaat op zijn knieën op het spoor zitten en legt zijn oor tegen de verroeste rails. Zijn vinger omhoog, Izak ziet 't wel, hij houdt de vinger goed in de gaten, als die gaat wijzen, dan gaat 't gebeuren.

Maar er gebeurt niets.

)(

Nesrine gaat bramen plukken, zij wil eten vinden in het bos. Dag prinsesje, pas je op? Ja bapa, bramen bijten niet hoor! zij prikken alleen.

Said Printah timmert een hinderlaag, hij timmert 'm van hout, van takken, van stammetjes, hij vlecht twijgen en bast, knoopt daarmee de hinderlaag aaneen. Je kunt van buiten niet zien wat het is, je kunt er ook niet in. Dat is het plan, zegt Said Printah. De vijand weet niet wat 't is, en als ie 't ontdekt is 't te laat! gaat het tjak-tjak! ratsj-ratsj! gaat de prins van Si-ri-Sori een potje hakken met zijn klewang ja, ik ga ze allemaal in hun pannetje prakken. Gaan zij dooie pieren zijn haha! voordat zij weten wie hen heeft gedaan.

Hij gaat ze slachten, zegt Izak bij zichzelf, de prins springt uit de hinderlaag, de passagiers gaan bloeden als geiten, zij gaan zwemmen in het bloed, hun tanden hun ogen worden rood.

De trein slaat over de kop, zegt Said Printah, hij vliegt door de lucht, maar hij gaat vallen hoor! de passagiers rollen eruit, zij gaan rollen en ik ga hen hakken, mati-mati! tot zij geen handje meer hebben om gedag mee te zwaaien.

De prins gaat weer naar de spoorlijn luisteren, dat gaat niet zomaar even, hij legt zijn oor op de rails, eerst het ene, dan het andere, eerst op de ene rails, dan op de andere. Hij staat weer op en schudt ernstig zijn hoofd. Nog niets.

Er ristelt iets vlakbij, een vogel begint te zingen. Daar is Nesrine! op haar paard. Zij lacht. De vogel zingt en zingt, maar hij kan zijn lied niet vangen, het gaat hoger en hoger, hij zal moeten opvliegen om er nog bij te kunnen. Nesrine luistert er niet naar, zij laat zien wat zij te smikkelen heeft gevonden, zij komt van haar paard omlaag.

Getverderrie! een djengkol, die stinkt naar dooie beesten ja. Izak knijpt in zijn neus. Baoe boesoek, wat een lucht!

Vlees is ook van dooie beesten toch? ze haalt haar schouders op.

Hoe komt Nesrine erbij! Vlees ruikt naar vlees hoor, dat ruikt lekker ja. Izak weet niet hoe hij het heeft, hij had zo'n honger, hij wou zo graag iets te smikkelen, maar die stinkvrucht maakt hem misselijk. Waar heb jij die vieze djengkol gevonden? Zij wil niet zeggen. Onder de dooiebeestenpoep zeker hè? in de vuile viezigheid ja.

De prins, hij luistert, hij denkt na. Wacht! ik weet het. Wij gaan de passagiers beroven van hun eten, zij hebben manden, zij hebben lekkernij hoor, dat is bekend.

En dan vertelt hij van het eten dat hij goed heeft gekend toen hij op het stationnetje van Semarang twee dagen op de trein stond te wachten, de vleesjes lagen zachtjes te smoren in een gietijzeren pot, je rook de sereh, de terasi, de santen, de djeroek peroet, lekker zeg! en dan kwamen de Chinezen tjonge jonge, zij ventten katjang en ketimoes, zij lieten je snoepen hoor! het hele stationnetje rook naar makan lekker man, wie nog geen honger had, die kreeg 't daar ter plekke, iedereen at z'n buikje rond hoor, die 't kon betalen. En wat niet op ging, dat ging mee in de trein, als die, hèhè daar was ie eindelijk! aan kwam tjoeken.

Izak luistert met open mond, hij kan niet wachten tot de trein er is. Als de prins 'm maar niet laat ontsporen! hij vliegt in de lucht, de trein, het eten rolt eruit, de trein gaat vallen, verplettert het eten. Hij wil het vertellen, hij wil waarschuwen.

Maar de prins laat hem niet, er is iets. Ruikt hij het passagierseten? de smook van de locomotief? Hij steekt sst! zijn vinger in de lucht, zijn op-een-na-langste, en knijpt zijn ogen toe, wat betekent het? niemand weet 't. Ruikt hij of luistert hij? of kan hij beter in het donker zien? met de ogen dicht kun je door de gewone dingen heen kijken, als je weet hoe dat moet. Izak niet.

Aldoor wijst de op-een-na-langste vinger omhoog, hij prikt een gaatje in de lucht, eentje dat je niet kunt zien.

De aarde beweegt, hij voelt het trillen onder zijn voeten, het dondert en het dreunt, een ondergronds beest dat bonkt dat 't naar boven naar buiten wil. Waar is Said Printah? hij kijkt om zich heen, hij ziet hem nergens.

Tussen de bomen kringelt rook, het komt zijn kant op, het bos staat in brand! hij hoort de slangen sissen, de rook likt met lange witte tongen aan de stammen en de takken, hij kent een verhaal van een draak, maar hij weet het nu niet meer, hij kan er nu niet opkomen, zijn hoofd wordt leeg als een onbekend stationnetje ergens in het binnenland.

Nu ziet hij het! Said Printah staat beneden te springen op de rails, helemaal madjenoen! hij heeft de trein tot stilstand gebracht, Izak ziet de prins met woeste armzwaaien heersen over het geweldige gevaarte. Een onbekende generaal die zijn leger achter de bomen verstopt heeft, elke stam een soldaat, een bos vol soldaten. De pikzwarte locomotief sist en trilt, hij is woedend, hij wil verder, maar de prins is machtiger, er gebeurt wat hij wil.

Af en toe verdwijnt de prins in de rookwolken die de geweldige locomotief uitblaast, maar steeds komt hij weer te voorschijn, de wolken krijgen hem niet weg, hij blijft rechtop staan, hij knippert niet eens met zijn ogen.

Izak wacht boven aan de helling tussen het groen, hij wacht af, hij kijkt naar Nesrine, zij is van haar paard gestapt, zij hurkt ook tussen het groen, het paard staat rustig blaadjes te kauwen.

Het zijn tekens, die de prins met zijn armen maakt, nu ziet hij het. Said Printah kruist zijn onderarmen, dan zwaait hij weer woest met zijn handen boven zijn hoofd, ja! en weer kruist hij zijn onderarmen, hij schrijft zijn tekens, hij schrijft ze met onzichtbare inkt in de lucht, hij wist ze uit en schrijft ze opnieuw.

Zijn de tekens ook voor hem bestemd? moet hij gaan helpen soms? of zal de prins de woedende trein, de sissende slang, de pikzwarte vijand in zijn eentje overwinnen? hij wil alles nu zo goed mogelijk doen, het is oorlog, hij mag geen fouten maken, wie fouten maakt wordt dood als een boontje, de prins heeft het zelf gezegd.

Hij kijkt van opzij naar Nesrine, weet zij – ? Ze speelt met een streng van haar haar, windt hem om haar vinger, ze ademt met droomzachte, vergeten lippen, als een lammetje.

Langzaam vloeit de spanning uit de trein weg, de laatste wolken verwaaien als losse slierten, het trillen is opgehouden, het sissen het stampen het dreunen.

Izaks oren tuiten nog na; zo vol waren ze van het lawaai dat ze de stilte niet meteen kunnen horen, die niet zo stille stilte die wordt gevuld door cicaden met hun eeuwig getjirp, tjilpende rijstvogeltjes, een schreeuwende kaketoe.

De trein verzinkt diep in zijn middagslaap, het lijkt of hij hier al dagen staat, achtergelaten, vergeten, en nu door de prins toevallig hier in het bos gevonden.

De vensters en het koperwerk van de wagons schitteren in het schelle trillicht. Over de vuile, afgepeigerde carrosserie kruipen de hagedissen omhoog.

Dan, als niets meer lijkt te kunnen bewegen, kijkt de prins naar boven, wenkt hen, kom!

X

In het binnenste van de trein geen teken van leven, een spooktrein is het.

Voor de zekerheid heeft Izak een stok in zijn handen genomen, in zijn zak heeft hij een steen. Hij loopt langs de wagons, ze gloeien van de hitte, het trekt aan zijn wangen, zijn lippen.

Al lopend trekt hij strepen op de oude bestofte treinstellen, de stok piept ervan. Dan pas ziet hij de gaten, hij betast ze met de punt. Kogelgaten? Moet wel. Hij heeft ze nooit eerder gezien.

Ze zijn allemaal geschoten, denkt hij, hij kijkt omhoog, klimt op een treeplank, maar zijn ogen kunnen er niet bij, hij kan de passagiers net niet dood als een piertje in het gangpad zien liggen, hij kan net niks zien. Of liggen ze met zijn allen plat op de vloer? bang om hun neus door het raam naar buiten te steken.

Oepoe allah-e!!! De plotselinge kreet scheurt de hemel open, het verstilde middagblauw. Is Said Printah plotsklaps gek geworden, is er een boze geest in zijn koppie geklommen? De prins is alle wagons doorgerend, over de balkons geklauterd, nu staat hij bij de achterkant van de trein. Zo ziedend heeft zelfs Nesrine hem nooit gezien, mata gelap! zijn oog is verduisterd van woede. Oepoe allah-e! schreeuwt hij alsmaar.

Dan rent hij weer naar voren, naar de locomotief. Izak, Nes-

rine struikelend erachteraan, ze vergeet haar paard, haar arabiertje, het kijkt hen na, ze zien het niet.

De prins heeft zijn geweer gepakt, hij zwaait er wild mee
boven zijn hoofd, wil hij aanvallen?

De machinist heeft zich in zijn gloeiende zwarte loc verschanst, Izak ziet alleen een zwartgeblakerd hoofd met een
dienstpet erop. Hij kijkt niet terug, ook niet naar Nesrine.
Een silhouet is het, meer niet, een wajangpop die zich verschuilt achter zijn eigen silhouet. En maar wegkijken, hij
kijkt star in de verte, daar waar het spoor om de bocht in het
dichtgegroeide bos verdwijnt.

Bang als een haasje hoor, dit Javamannetje, dit schimmige
wajangmannetje-met-de-pet! voor de oppermachtige prins
van Siri-Sori, eerste generaal van het onoverwinnelijke Molukse leger jaja, het leger dat alleen nog maar eventjes hoeft
te worden opgericht.

En weer begint de prins te schreeuwen, hij gooit zijn hoofd
in zijn nek, en zo hard als hij kan, zo hoog als hij kan slingert
hij zijn schreeuw de hemel in. Oepoe allah-e! de schreeuw
klimt hoger en hoger, zo hoog dat ze hem hier beneden bijna
niet meer kunnen horen. Said Printah vindt het blijkbaar niet
hoog genoeg, hij slingert er nog een achteraan, de schreeuw
komt uit de donkerste diepten van zijn binnenste, hij moet
echt worden losgescheurd uit zijn ingewand. Aààh!!! Lààh!!!
Eéé!!!

Straks pakt hij zijn geweer, fluistert Nesrine.

Said Printah kijkt de laatste schreeuw na tot die opgeslokt

is door het oneindige blauw. Dan pakt hij zijn geweer, hij laadt het door en legt aan. Hij richt hoog, in de lucht richt hij.

De machinist beweegt geen millimeter, zelfs zijn ogen durft hij niet te bewegen.

Izak vraagt aan Nesrine: wat betekent het? die schreeuw van de prins.

Ze haalt haar schouders op. Het is Moluks. Bapa zegt dat hij een beetje boos is op God.

Met zijn dubbelloops schietgeweer tekent Said Printah cirkeltjes in de lucht, het lijkt of hij in de baan van een vogel probeert te komen, wie jaagt mikt er net voor zodat de vogel vanzelf tegen de kogel vliegt.

Izak tuurt mee, maar nee, hij ziet niks om op te richten.

Dan knallen er schoten. Pang! Pang! Uit de ene loop en uit de andere, de prins trekt zijn hoofd telkens terug, zo sterk is de terugslag.

Izak duikt verschrikt tussen zijn schouders, ja straks ploft er een wilde eend op zijn bolletje.

Boven in de cabine begint de machinist te kermen, alsof hij zelf is getroffen. Pasang Toehan! Pasang Toehan! jammert hij. Hij schudt hevig met zijn hoofd, het roetzwarte Javamannetje, zijn ogen opengesperd, zijn oogwit groot en geel, alsof hij het zelf ook niet begrijpt dat hij krijst als een biggetje terwijl hij toch duidelijk niet geraakt kan zijn. Pasang Toehan! hij meet zich met God, adoeh! hij schiet op de Here God, hij probeert de Allerhoogste als een vogeltje uit de hemelen te knallen, adoeh kasihan! adoeh ampoen! deze man is zo gek als een klapdeur, hij weet niet wat hij doet.

Said Printah zet zijn geweer op de grond, sluit zijn ogen. Bidt hij? gaat hij voor in gebed?

Allah is onsterfelijk! jubelt hij keihard met zijn ogen dicht, zijn handen gevouwen. Nooit zal de Allerhoogste als een dood vogeltje uit de hemel vallen, nooit. Kogels zijn voor hem als regendruppels, dat weet iedereen, hij steekt er zo zijn hand doorheen, maar geen gaatjes hoor, zijn hand blijft heel als nooit tevoren.

De machinist weet niet voor wie hij banger moet zijn, voor zijn onteerde Toehan of voor die dolle Molukker.

Hij heeft veel meegemaakt onderweg, ja dat kun je wel zeggen al zegt hij het zelf, zijn trein is in de bergen tot driemaal toe vanuit een hinderlaag beschoten, de passagiers zijn stuk voor stuk als kikkers uit de wagons gesprongen, met medeneming van al het lekkere eten ja, de lempers, de lapis, met alle smullerijen ja, het arme Javamannetje voelt zich als een boertje van de sawah met links en rechts een volle emmer aan zijn pikoelan, hij morst en hij morst, hij verliest een beetje links en hij verliest een beetje rechts en als hij hèhè op de pasar komt, zijn beide emmers leeg als een mandje.

Maar een gek die op God durft te schieten! nee, zoiets ongehoords had de roetmop op het spoor nog niet meegemaakt.

)X(

Ze hoeven geen kaartjes te kopen, zegt de machinist. Izak en Nesrine gaan een zitplaats uitkiezen, ze lopen de hele trein op en af, zoveel banken, zoveel plaatsen, welke zullen ze nemen?

Said Printah wandelt verstrooid achter hen aan, zijn hoofd is nog bij zonet. Welke achterlijke kafir gelooft in een God met gaatjes, met kogelronde gaatjes in zijn Almachtigheid? Steekje los hoor! die Javaan. Wie verzint het! zomaar stukjes uit Allah knallen, pang pang tot er niets meer van Zijne Heerlijkheid over is? Jazeker! het is het gat van het ongeloof, het wijde niets der ongelovigen. Jij mag gaan oppassen hoor, Javaantje zo zwart als roet! ga jij maar wandelen zonder hoed! Allah verschijnt als gat aan dezulken die niet waarlijk in Hem geloven, tjonge jonge, dezulken kijken kijken, maar zij zien Hem niet, zij tureluren dwars door Hem heen, zeggende wij hebben met onze ogen geen jota kunnen zien.

Als de trein met veel kabaal in beweging komt, ploffen ze zomaar ergens neer, ze kwakken hun bagage hun tenten hun troep in een hoek, hèhè, ze zitten. De stoomfluit gilt, rook waait langs de ramen, dringt door spleten en kieren naar binnen, kolendamp, ze moeten ervan kuchen, de bank wiebelt, het vensterglas trilt in de sponning, de coupédeur rammelt, ze staan op, willen uit het raam naar buiten kijken. Het paard! schreeuwt Nesrine, we vergeten het paard!

Maar het paard vergeet hen niet, daar is het al! het draaft met hen mee.

Nesrine trekt aan het raam, het is stroef, het gaat niet goed open, verdorie! ze steekt haar hoofd schuin door het spleetje naar buiten, haar haar wappert in haar gezicht, ze kan niks zien, brave jongen, zegt ze, braaf! Ze aait de lucht, ze kroelt maar wat.

Zo zijn paarden, weet Said Printah. Trouw tot het einde. Hij gaat weer zitten, gebaart Izak naast hem plaats te nemen. Er is ergens op onze Noordelijke Eilanden een oude krijgsheer, hij moet zich met paard en al laten begraven, vertelt de prins. Het dier, jongen! het geeft niet op, het graaft met zijn hoef, het trekt met zijn snoet, het trekt de oude uit zijn graf! met wortel en tak, of hij een djahéplantje is.

Izak hoort de stem, hij hoort hem verder en verder, hij verstaat hem al niet meer, hij hoort het bonken van de locomotief, het rammelen van de deuren de ramen, het ratelen van de wielen. Hij voelt de vloer onder zijn voeten trillen. De houten bank waarop hij zit, wiebelt als een rotanstoel. Er is piepen en kraken, en boven alles uit zingt de stoomfluit.

Hij dommelt en hij schommelt, hij wiegelt vanzelf in slaap. Hij droomt van zonlicht dat tussen de bladeren fonkelt, hij hoort een bezem in een zeker ritme vegen vegen rúst, vegen vegen rúst. In een hangmat ligt een man te roken. Bapa? de kruidnagel knettert als hij aan zijn kretek trekt. Vegen vegen rúst, zegt de bezem. Het rondgestrooide zonlicht is als gouden munten naar de bodem gezonken; het water is zo helder, het kabbelt kalmpjes, het goud gaat gekke gezichten trekken, het zonlicht wordt van zilver nu, net zo zilver als het water zelf. De kretek knettert, de bezem veegt ja vegen vegen rúst, de hangmat wiegelt wiegelt zacht.

Af en toe gaan zijn ogen open, een beetje, zijn wimpers een klamboe een bamboegordijn.

De trein tjoek-tjoekt, hij ziet de rug van Nesrine, zij hangt uit het raam, haar handen zwemmen in de lucht, zij tast naar haar paardje, het draaft wat het kan, het draaft naast de trein. Hij hoort de prins, hij zegt ze snijden hem met de keris poesaka, uit de hals spuit bloed met belletjes, het bruist het schuimt, de hoeven trappen wild, zij lopen in de lucht, maar het lichaam ligt onder, het gaat onder de grond. Izak hoort het, maar hij verstaat het niet. Hij hoort het paardje naast de trein, zijn hoeven zij klepperen, zijn neusgaten zijn lippen zij briesen zij blazen zij ademen de stoom van de locomotief, tjoek-tjoek, uit zijn oren uit zijn neugaten komt rook. Zijn hoeven slaan vonken, het paardje rent op vuur.

Izak volgt het gehoorzaam, het vuur is een pad in het slaapdonker, hij kent het uit zijn dromen, hij hoeft niet te kijken, zijn oogleden gaan vanzelf toe.

X

Hoort hij iemand snikken? Of herinnert hij het zich? een ver verdriet dat hij niet meteen herkent. Hij vergeet er verder aan te denken, zijn slaap is zo zacht, de wagon wiegt hem tot kindje, tot baby, zo zacht is zijn slaap, zo lief sluimert hij, en zo dut hij weer in.

Opnieuw klinkt het snikken. Of is het er nog steeds? Het komt hem bekend voor, het zouden zijn eigen snikken kunnen zijn, nu hij er goed naar luistert, de ondertoon het gelispel van zo'n roestige kraan die zachtjes openstaat, de snikken zelf tinkelen als druppels helder water, van die prachtige tranen waar ook het zonlicht zo van houdt.

Is hij ongemerkt gaan huilen in zijn slaap? Hij zou eigenlijk wakker moeten worden om erachter te komen, nu kan hij er niet goed over nadenken.

Het is de trein die hem een handje helpt, bonk! kadoenk! hij schrikt overeind, wat was dat? Niks dus. De bank tegenover hem is leeg. De prins zit aan de andere kant, bij de prinses, zij is het die huilt, haar tranen biggelen over het raam. Zij zit en huilt, en zij aait haar paardje niet, zij aait niet de lucht waar haar paardje loopt.

Het is toch een beetje mijn verdriet, denkt Izak, als hij naar haar kijkt, haar triestig profiel, zij huilde in mijn droom en nu huilt zij in het echt, zij huilt of ik het ben, haar tranen tinkelen als regendruppels, zij tikken tegen het raam, zij druipen droevig af. En de prins maar praten, zachtjes, zorgzaam, zijn stemt zoemt als een dikke bromvlieg door de coupé, je hoort 'm maar je vergeet 'm telkens en telkens is ie er weer. Niets gaat verloren, zegt de prinsenstem. Wat verdwijnt is niet weg, het heeft alleen een andere plek gevonden.

Maar wáár dan, bapa, waar is mijn vrolijkerd dan in zijn eentje heen gehuppeld? zeg het me dan, bapa radja, zeg het me gauw!

Ergens in het heelal is het, dat paardje van jou, meisje echt, zowaar ik hier sta, want alles wat weg is, dat blijft, het blijft gewoon bewaard, op een of andere plek, alles heeft een plek, vaak is het een plek die wij nog niet kennen, maar dat zegt meer iets over ons, wij kennen het heelal gewoon niet goed genoeg, dat is alles, meer is er niet aan de hand, echt niet hoor.

Maar als paardje die plek niet weet, bapa, net zomin als wij? als het zijn eigen plek niet kan vinden, wat dan?

Dan vindt hij een andere, betoel! een paardje vindt altijd wel een plek, het zijn beesten die ergens thuishoren, zo zijn ze nu eenmaal, ze houden van rennen, ze gaan altijd wel ergens naar toe, dus soedah met die traantjes hoor!

De cadans van de treinwielen, het ritme van de snikken, ze zijn niet meer te onderscheiden, ze vullen mekaar aan, ze wachten op elkaar, Izak weet niet meer of hij de trein hoort of de verdrietige prinses, samen spoeden ze zich voort, de treinwielen en zij, de snikken smeren de drijfassen, de bomen worden strepen, ze worden dunner en dunner, het landschap trekt open, buiten blinken sawahs tot in de verte, tot waar het blauw wordt als de lucht.

Ze gaan de laagte in, naast de trein duikt een rivier op, het rimpelende water schittert, de schitteringen flitsen eroverheen, als een spiegel die alsmaar kantelt, zo scheert het licht over de kali.

Aan het raam tegenover is de prins nu in slaap gesukkeld,

hij snurkt zachtjes met de snikken mee, met de wielen van de trein, hij resoneert in de ondertoon, zijn mond is opengezakt, de kinnebak deint op het borstbeen met de ademhaling mee, er ontspint zich langzaam een slijmdraad, glinsterend als een traan.

Buiten wordt het uitzicht omgeslagen als de bladzijden van een plaatjesboek, ze vallen een voor een over hem heen. Izak, met zijn glanzende ogen, kijkt en kijkt, hij nadert en nadert, maar als hij er is, is het weer weg. Steeds nadert de trein en steeds valt het landschap om. Het valt over hem heen achter hem weg en het is er weer, in alle raampjes keert het telkens terug, er wordt gebladerd gebladerd, de bladzij blijft komen, de trein schrijft een boek dat hij uit zijn hoofd begint te kennen.

De prins ligt luidruchtig te dromen, hij is onderuitgezakt op de houten bank, het prinsesje heeft zich tegen zijn borst gevleid. Snikt zij nog of is ze ook aan het dromen nu? is het huilen hinniken geworden? in haar herinnering hinnikt ja zou het? met losse teugel het vermiste paard, het huppelt vrolijk over haar tong, toch kan ze het niet te pakken krijgen.

Izak ziet ze slapen, hij denkt: ik ben de enige nu. Hij staat op, loopt langs de lege banken, hij tikt de houten rugleuningen aan met zijn vlakke hand, een tikje links een tikje rechts, zijn armen wijduit, hij loopt tegen de richting in, zijn armen worden vleugels hij vliegt tegen de wind, hij blijft op zijn plaats terwijl alles beweegt, hij blijft hangen als een vogel in de lucht.

Om hem heen schudt en bonkt de voortrazende trein, het binnenwerk trilt tot in de kleinste onderdelen, maar hij merkt het niet, hij heeft zijn ogen gesloten, hij zweeft maar niet echt, onder zijn vingers de banken, de banken zijn toetsen, ze zijn van zwart en van wit, je zou ze niet verwachten hier, maar ze zijn er, hij voelt ze toch zelf? hij voelt ze met zijn eigen vingers, echte pianovingers zegt njonja, niet te lang, de handpalm lekker breed, Ambonese handen zijn pianohanden, het Molukse ras is een pianoras. Izak knikt, hij weet 't, hij weet alleen niet hoe hij moet spelen, hij loopt met zijn vingertoppen het houtwerk af, ze trippelen virtuoos op en neer, maar muziek is het nog niet, dat weet hij ook wel.

)(

Said Printah is uit zijn sluimer opgestaan, hij staat tussen de zitbanken te stampvoeten te briesen, hij zoekt iemand om te luisteren, het wordt Izak, moet je horen, buldert hij. Hij gebaart in brede uithalen, hij wil iets raken maar hij raakt alleen de lucht. Wat staat daar op dat bordje? dat daar hangt. Izak weet het niet, hij kan niet lezen. Hij kon het wel, hij kon het op de Ambonsche School een beetje, maar dat is lang geleden, nu weet hij de letters niet meer precies. Tiga! roept hij opeens, hij ziet het cijfer dat een zittend beertje is, zo onthoudt hij het. De pootjes beneden, de pootjes boven, de kop erop. Satoe, doea, tiga. Een, twee, drie. De prins schudt heftig met zijn hoofd, hij hoeft het al niet meer te horen. Drie ja!

derde ja! Derde Klasse! hoont hij, hij spuugt de woorden op de vieze treinvloer. Ze hebben ons in de Derde Klasse opgepropt! als de eerste de beste boedak met poep aan zijn poot. Izak denkt: we zijn hier toch zelf neergeploft? Een prins, briest de prins, een prins van Siri-Sori staat hier boven jongen! Wat haalt zo'n Javaantje zich in zijn boze bolletje? wat denkt hij hiermee te presteren? De eerste voor Belanda, de tweede voor Java en de derde voor ons zeker? betoel! dan telt hij zich op zijn eigen vingers ja! En daar gaat Said Printah.

Hij opent met razend lawaai de deur naar het balkon, hij staat daar hij wankelt, de wind slaat in zijn gezicht, zijn haren zijn kleren wapperen zij klapperen, hij klimt op het ijzeren hekje, hij springt poing! als een sprinkhaan naar de volgende wagon, hij ziet niet de gapende diepte, de grondeloze grond onder zich wegschieten.

Allah gaat straffen hoor! zeker weten! hij gaat handen en voeten hakken, hij gaat ze teruggeven als gebakken peren ja! roept hij tegen de wind in, hij roept: kom kinderen! maar hij wacht niet op antwoord, hij is al weg.

Nesrine kijkt even over haar schouder, Izak wil haar blik vangen, wat zullen we doen? wil hij vragen, zullen wij ook naar de volgende wagon springen? Ik ben er te klein voor, denkt hij, ik zal verpletterd worden, verpulverd tussen de wielen. Zullen we... ? vraagt Izak, hij weet niet zeker of hij het vraagt. Nesrine ziet hem niet, ze strekt achteloos haar arm, haar hand, ze bestudeert haar vingertoppen, geeneen is even lang, Izak kijkt naar zijn eigen vingers, zijn wijs- en ringvinger zijn wel even lang, bij hem wel.

Ze schudt het hoofd met het mooie haar, onmerkbaar haast, hij had het bijna niet gezien. Niet springen, zegt ze, niet doen. Bapa komt vanzelf weer terug.

Izak knikt, tanggoeng mompelt hij, gaat braaf op de bank zitten wachten. Hij kijkt naar de wagondeur, hij gaat niet open, hij kijkt even niet dan weer wel naar de wagondeur, hij gaat niet open, de deur is van donker, gladgesleten djatihout, het beslag is van koper, het glas is vuil, vreemde vingers hebben er strepen in getrokken, het zijn geen letters, tenminste niet dat hij weet.

Hij kijkt nog steeds naar de deur, maar nee hij ziet hem niet meer, hij ziet ook het glimmende djatihout niet meer en evenmin het glas, het stof en de strepen, zijn ogen staren maar wat, ze kaatsen alles terug, vlekken, vegen wat zijn het? ze houden niets vast.

)(

De trein is langzaam gaan rijden, zo langzaam dat de bomen langs de spoorweg de trein een eindje kunnen bijhouden. Nesrine steekt haar hoofd naar buiten, haar haar waait voor haar gezicht, ze hoopt op haar paardje, ze hoopt het te zien. Als de bomen de trein al kunnen bijhouden, denkt ze. Tot aan haar hals steekt ze haar hoofd uit het raam, haar haar zwemt in de wind, tranen waaien uit haar ogen, haar gezicht verdrinkt erin, in de haren, in de tranen, ze hapt naar adem. Toch blijft ze achteruitkijken, ze blijft het proberen, je weet nooit, als ze geluk heeft komt ie d'r net aan, komt haar paardje zomaar haar kant op galopperen.

Izak kijkt haar op de rug, vangt slechts flarden op van haar paardenverdriet. Zelf vindt hij het niet erg, hij vindt het erg voor haar. Niet dat hij weet waarom hoor, dat niet. Maar een prinses zonder paard, dat lijkt hem gewoon niet beres.

Hij vergeet helemaal naar de wagondeur te kijken, pas als die openvliegt en pak Said komt binnenstormen, herinnert hij het zich weer. Helemaal vergeten te wachten! en toch is hij terug.

Boven zijn tulband tilt de prins een mandje, hij houdt hem juichend in de hoogte. Ik heb het gezegd jongen! ik heb het gezegd hoor! in de Eerste Klasse groeit de pisang aan de bomen, betoel! Hij laat het buitgemaakte mandje zien. Daar kan de vijand mooi naar fluiten met zijn liedjes! kijk ze eens in het mandje liggen, pisang pisang sajang toch, ze liggen als kolfjes in onze hand, toe voel maar, lief dochtertje van me, klein jongetje van Ambon, pak maar eentje om te smikkelen.

X

Ziet! oreert de prins, de stad is begonnen. Ze kijken uit het raampje, ze staan daar in de lege trein met zijn drieën te dringen aan hetzelfde coupévenster. Izak denkt: heeft pak Said een krokodil gezien? is dat het bewijs? De huisjes staan steeds dichter op elkaar, zien jullie? De prins wijst naar buiten. Ze rijden dwars door een kampong waar de pondoks hutje mutje staan, de wanden van gedek, de daken van klapperblad, Izak ziet mensen, kinderen, varkentjes, kippen, een haan, zo dichtbij, de trein gaat hen toch niet overrijden zeker?

De stoomfluit gilt, hij houdt even zijn adem in en gilt dan weer, kippen vliegen kakelend op, stoomwolken dalen uit de hemel op de kampong neer, blijven als witte pluisbaarden hangen in de bamboehagen, in de brede takken van een tamarinde.

Wacht op de rivier, maant Said Printah, als de grote kali Mas langszij komt, breed als een majesteit in ons raampje, als wij met de grote kali Mas gelijk opgaan, de kali stromend, wij rollend ratelend, dan is de reis gedaan, dan gaan wij onze koffers pakken, dan maken wij ons gereed om uit te stijgen.

Alvast vertelt Said Printah het oude sprookje, hoe de gouden rivier en de zoute zee in vrede met elkaar leefden, totdat de inktvis kwam en lelijke leugens in de wateren schreef, Tjoemi schreef ze met acht armen tegelijk, voor iedereen schreef hij iets anders, ieder pikte het zijne op, maakte daar zijn eigen waarheid van, en toen de woorden langzaam oplosten in vage sluiers van inkt, viel er niets meer te achterhalen en niets meer aan te doen.

De krokodil had in het doorzichtige schrift geraden dat de haai de kali wilde overheersen. Altijd hadden de door God gezonden gruweldieren in vrede naast elkaar geleefd, Bojo heer over het zoete, Soero meester over het zoute water, elk soeverein in zijn eigen domein. Maar in het geheim loerde zijn rivaal sajang ja! op zijn ondergang.

Bojo bedacht een verrassingsaanval, hij liet zich vanuit het riet in de diepte glijden en dreef als een boomstam langs groene oevers waar nu de kaden van Tandjoeng Perak zijn naar open zee, en hoe zouter hij het water aan de lippen voelde worden des te kwader hij werd op zijn rivaal, en toen hij Soero gevonden had, op de zandige bodem waar ook de schelpen slapen, als nachtbloemen dromend van daglicht, aarzelde hij niet, hij klapte zijn kaken alsof hij een blinkvisje hapte, zo klapte hij zijn gekartelde kaken toe.

De haai had van Tjoemi geen boodschap meegekregen, hij hield zich glad als een aal, hopend dat de krokodil vanzelf tot inkeer zou komen. Hij beet pas terug toen zijn bloed het water begon te kleuren, en toen hij terugvocht werd de zee pas echt rood, de twee rivalen scheurden elkaar open tot op het bot en tot aan de graat, hun bloed verduisterde het glasheldere water, alsof de zon midden op de dag was ondergegaan en in de onzichtbare diepte was verdronken.

Said Printah vertelt het zoals alleen een prins dat kan, hij houdt de kinderen in zijn ban, iedereen vergeet naar buiten te kijken, ze zitten aan de verkeerde kant. Achter hen, in het andere raam, stroomt allang de kali Mas majestueus met hen mee, het zonlicht knipoogt in de kleine golfjes, prauwen met vierkante zeilen glijden over de stroom, overal op de oevers bulkt het van de huizen, sommige zijn op palen tot boven het water gebouwd.

Daarom ja! vertelt Said Printah onverstoorbaar verder, wordt de Krokodillenstad soms ook wel Soerabaja genoemd, om niet alleen Bojo maar ook Soero te eren. De stad bestond al in sprookjes ja! nog lang voordat iemand haar had gezien. Zij mag dan aan de gouden rivier liggen, de zee negeert men beter niet.

Trouwens, zegt hij, achter ons stroomt de kali Mas, dat is 'm nou, die mooie jongen.

)(

In het immense station van Setaas Sepoor geen bedrijvigheid van kruiers en haastige passagiers, van fruitverkopers, krantenjongens, schoenpoetsers. Er staan zelfs geen andere treinen klaar. Zo ver als ze kunnen kijken, in de hal, over de perrons, is het hier leeg en verlaten. Een loze ruimte. Hun ogen zoeken houvast aan een pijl, een teken; het is er niet. Aan de verre zijde van de hal zijn toegangsdeuren met koperbeslag dat groen is uitgeslagen, ze hangen uit de hengsels, het glas is verbrijzeld.

Plotseling klinkt achter hen een fluitend geluid, alsof iemand heel hard lucht naar binnen zuigt. Bukken! beveelt de prins. Ze duiken op de grond, plat op hun buik. Dan voelt Izak een enorme druk op zijn oren, er wil een heel groot lawaai zich naar binnen persen, het past niet, het gaat niet, het kan er niet in. Het propt zich, wat een gadoeh! die banjak! het wordt steeds vaster aangestampt. De grond dreunt, hij voelt de aarde onder zijn buik bewegen, en plotseling wordt het heel stil, hij zit binnen in de stilte, hij kan er niet uit, hij wil iets zeggen maar ook zijn stem kan niet naar buiten, hij voelt zijn lippen, zijn tong bewegen.

Naast zich ziet hij pak Said eveneens zijn mond bewegen, nee ook zijn stem kan niet naar buiten. Hij lijkt achter glas, onder water. Nesrine is verderop weggedoken, zij houdt haar handen plat tegen haar oren gedrukt en ook haar oogleden houdt zij stijf samengeknepen, alsof zij neergedrukt wordt door iets, hij kan niet zien wat het is, hij ziet alleen lucht.

Allah akbar! wijst de vinger van pak Said achter het glas, hapt zijn mond onder water, hij is overeind gesprongen, hij trekt zijn klewang, wijst nu met de punt in de hoogte, de verte. Het lijkt Izak niet aan te gaan, hij registreert het en vergeet het meteen, de wijzende klewang, de woest gebarende prins.

Nesrine ligt nog steeds plat op haar buik. Is er een stuk van de hemel naar beneden gevallen? precies op haar bolletje?

Achter de prins verrijst een enorme zwarte rookkolom, ziet hij nu, de kleurrijke gestalte van de prins torent boven hem uit, zelf ligt hij op de grond, hij ziet de machtige gestalte van de voeten af, een sprookjesprins tegen de achtergrond van zwarte rook, het zijn zwarte wolken die gestapeld worden en gestapeld, een toren van wolken die hoger en hoger wordt, ze reiken en klimmen, op elkaar over elkaar heen, eronder schieten vuren op, de vuren spugen de zwarte wolken uit.

Ze raken tot aan de zon, de zwarte wolken, het wordt donker ineens, geen nacht maar een donker waar het licht doorheen steekt, het donker van donder en bliksem, van hoedjan als het hoost.

Het gebeurt allemaal heel stil, alsof het niet echt gebeurt. Hij voelt een prop in zijn oren, hij is net iets te groot, hij zit te strak, het doet daarom een beetje pijn. Omdat hij niks hoort lijkt alles nog verder, wat gaat het hem aan? de rookwolken, het spuwende vuur?

Hij ligt nog steeds op zijn buik, hij ligt zomaar ergens in de stationshal en inspecteert de omgeving. Er is maar één trein, die van hen, hij staat met zijn neus tegen het stootblok, de rails gaan niet verder, dit is het einde. Overal groeien planten, op de perrons, de rails, tegen de muren van de stationshal. Er vliegen rode vogeltjes doodstil rond, ze schrijven figuren in de lucht die ze meteen daarna uitwissen, ze denken dat ze niet naar buiten kunnen, maar dat kunnen ze wel, als je omhoog kijkt zie je geen dak maar de lucht, de lucht is donker als een plafond, de binnenmuren zien eruit als buitenmuren, ze zijn afgebrokkeld als ruïnes, begroeid met klimop, de grote klok is op de grond gevallen, het is een gigantische koektrommel, overal liggen glassplinters, brokken steen – her en der tussen het groen dat opschiet tussen de tegels, de uitgebotte struiken, de zich in alle richtingen vertakkende wingerdslierten, een plantenwoeker die niet meer te stuiten lijkt. Nergens in die hele onafzienbare ruïne een passagier, zo'n figuur die zomaar ergens neergekwakt op een perron de tijd staat te doden met getrippel van voeten, getrommel van vingers, met een hoestje dat niet ter zake doet. – Of toch ja, in de verte, daar nadert iemand, helemaal aan het andere eind, Izak had hem niet meteen gezien, hij hoort niets, vandaar, geen gebroken glazen deur met piepscharnieren, hij hoort niet de glassplinters knerpen onder de zolen, niet het knappen van jonge loten, hij hoort niet het amechtig zuchten waarmee de gestalte zijn naar verhouding veel te grote koffer zeult, hij ziet alleen een mannetje ineens! nietig en verloren, een slepende figuur die niet of nauwelijks dichterbij komt in de enorme overwoekerde ruimte.

De prins legt zijn vinger op zijn lippen, wijst geruststellend op zijn geweer. Gaat pak Said hem schieten? Hij heeft zich als een jager verschanst achter zijn bundel Perzische tapijten, het paard is er niet meer, hij moet het draagbare paleis zelf op de rug nemen, hij moet wel ja. Vanachter zijn verschansing volgt hij de bewegingen van de totok.

Hoog boven het dak dat er niet meer is, daar in de open ruimte, drijven de zwarte wolken, ze drijven langzaam voorbij, de zon steekt zijn stralen er alweer doorheen, heel fel wordt een plek in de stationshal verlicht, het is zomaar een plek, daar valt het licht.

X

De totok komt dichter- en dichterbij. Pak Said klemt zijn hand om zijn schietgeweer. De totok waggelt, zigzagt hij? probeert hij uit de baan van een eventueel schot te blijven? Hij is nu zo dichtbij, Izak ziet dat de knokkels van de man wit zijn uitgeperst van het zware slepen, zijn opgeblazen hoofd is knalrood. Hij ziet de drie Molukkers niet, zijn koudblauwe ogen zien allang niets meer in de stationswildernis.

Het kan zijn dat hij een revolver in zijn binnenzak verborgen houdt, of in een holster om zijn kuitbeen, een bekende gewoonte van belanda's.

Izak begrijpt niet waarom de totok hun vijand is. Pak Said articuleert doventaal, hij spert zijn mond zo ver als hij kan, toch heeft Izak geen idee wat hij probeert te zeggen. Zijn hoofd is zwaar van stilte. Weer de vinger op de lippen. Izak knikt.

Hij denkt aan njonja, hij denkt: misschien kent de totok njonja wel? heeft hij haar ergens gezien, ergens in de oorlog. Grote witte mensen kennen mekaar altijd, dat weet iedereen, ze zien elkaar op feestjes waar de mevrouwen pianospelen, ze hebben in hun huizen zelfs een grote zwarte telpon waarmee ze naar het andere eind van de wereld kunnen praten, hij heeft zo'n apparaat zelf bij njonja gezien, helemaal naar Belanda praat ze ermee, daar is het altijd nacht, zegt njonja, daarom is ze in Malang komen wonen.

Dan voelt hij het naast zich gebeuren, hij voelt hoe de spieren van Said Printah zich spannen, de spanning voelt Izak trillen in de lucht tussen hen in, gaat hij schieten? nee, hij springt als een wilde aap omhoog, werpt zich met getrokken klewang op de nietsvermoedende totok. Maakt hij woeste geluiden? krijst hij? Izak ziet het in stilte gebeuren, een dans lijkt het, de totok in zijn vuilwitte pak op de grond, de prins springend als een kikker een sprinkhaan boven hem, over hem, over hem heen, de klewang schrijft razendsnelle arabesken in de lucht, onbekende soera's waarin het lot van de totok theologisch wordt uitgebeeld. De totok graait met een hulpeloos handje naar zijn weggerolde vuilwitte hoed, naar het hengsel van zijn omgevallen koffer, met zijn andere arm probeert hij boven zijn gezicht zijn adamsappel de luchtsnijdende sabel af te weren, liever zijn arm eraf dan zijn keel doormidden, je moet maar durven kiezen denkt Izak.

Nesrine zit op haar hurken, ze trilt als een jong vogeltje, ze heeft haar armen haar vleugeltjes om zich heen geslagen, snikt ze? nee ze trilt alleen, ze is een meisje ze kan niet tegen bloed.

Izak ook niet, maar hij wil dat niet laten merken, hij wil onverschillig zijn, hij wil denken: de totok mag creperen, ik ken hem niet, ik ga hem echt niet missen hoor, selamat orang poetih!

Toch, de prins kilt de totok niet, de klewang wordt veilig teruggeborgen in de saroeng. Pak Said hoort hem nu met zijn blote handen uit, hij schudt hem uit, hij maakt hem bang als een varkentje, zodat de schijtzak alles zegt wat hij wil weten. Vraagt hij of de totok njonja kent? Vraagt hij: weet jij waar de piano is? Hij trekt hem aan zijn neus, hij trekt hem aan zijn oorlelletjes, hij draait hij wringt zijn arm tot ie bijna breekt. Ampoen! silakan! ampoen, toean radja! ampoen silakan! Izak leest het van zijn schrale lippen, spaar mij o vorst o woeste heer, genade alstublieft, laat mij leven opdat ik door kan gaan met vluchten ja.

Pak Said vindt het nu welletjes, hij hijst de totok overeind, klopt het ergste stof van zijn vuilwitte pak en geeft hem de hand, hij schudt hem de rechterhand en met zijn andere geeft hij de totok vriendelijke klopjes op de bovenarm. Hij biedt met een buiging aan zijn koffer te dragen, de totok maakt een afwerend gebaar, neenee zegt de prins, ik sta erop, hij staat erop om de totok naar de trein te brengen, ik ken de machinist, zal hij zeggen, ik ken hem vrij goed, hij is een vriend van me, ik zal u aan hem voorstellen. De totok vertrouwt het niet, maar pak Said is niet te vermurwen, hij begeleidt zijn gast in het immense, lege station naar de trein, de enige in de hele oorlog die nog rijdt, hij gaat naar Pasoeroean voor zover hij weet.

❯

De straten zijn hier pleinen, maar nergens rijden auto's, betjaks, fietsen, de huizen zijn zo hoog, hij heeft nooit zulke hoge gebouwen gezien, hij staat op de bodem van een afgrond, zijn ogen klimmen langs de steile wanden opwaarts, naar het licht, de blauwe lucht knalt van het licht nu, de wolken dun als sigarettenrook.

Sommige huizen van steen zijn ingestort, uitgebrand, het zijn bergen van geblakerde steen en balken en planken geworden. De huizen van hout liggen plat als kartonnen dozen die iemand heeft platgetrapt, je zou ze terug kunnen vouwen. Waar de huizen weg zijn, kun je ver kijken, Izak denkt dat hij in de verte de zee ziet liggen, hij weet het niet zeker, hij heeft de zee nog nooit gezien.

Ze steken een straat over of een plein, in het midden is gras, het is lang als alang-alang, er hebben zich daar misschien slangen verstopt, betoel! ze lopen er liever omheen.

Op een groot gebouw wappert een vlag, het is niet de vlag van Negeri Belanda en ook niet van Djepang, hij is rood en wit, en een stuk kleiner, misschien is het een feestvlaggetje. Hij kijkt of pak Said het vlaggetje ziet, maar nee de prins loopt voorovergebogen als een muilezel, op zijn rug de lappen doeken kleden die eerder het paardje droeg.

Pak Said ziet iets anders. Hij wijst heel druk opzij, hij kijkt Izak aan, Nesrine aan en wijst nog eens, hij zegt iets, dat in de stilte verloren gaat.

Nesrine ziet het 't eerst, het is dan ook haar paardje! dat daar onder het purperrode bloemengeweld van een overhangende flamboyant naast een witgepleisterd tuinpoortje het opgeschoten onkruid staat af te grazen. Zei ik het niet? zeggen de ogen van pak Said, heb ik het niet steeds gezegd? Het meisje weet niet wie ze het eerst moet omhelzen, ze weet het wel, ze rent op het paardje af, vliegt het om de hals.

Hoe weet ze of ze het juiste heeft gevonden? denkt Izak, zulke paardjes heb je misschien overal.

Ze laden de last op de paardenrug, Nesrine pakt haar lieveling bij het hoofdstel, kust hem in de hals, kroelt hem door de manen, ze is zo blij, ze is zo mooi opnieuw, echt een prinses, ze is gemaakt van alles wat glanst in het gloednieuwe morgenlicht.

Pak Said praat ondertussen honderduit, hij is bevrijd van

zijn last, met beide handen maakt hij de weg vrij voor zijn woorden. Ze zijn snel hoor, die beestjes, als ze willen gaan hun hoeven niet over de grond, maar over de wind die ze zelf voortbrengen, zulke dingen zegt hij, Izak kan het gemakkelijk raden, een trein is een paardje gewoon te langzaam, dan snellen ze liever vooruit, die doeraks, en voor je het weet staan ze op je te wachten onder de kuif van hoe-heet-zo'n boom ja! met van die kleine rode bloemetjes, staan ze een beetje te lachen, zo van waar bleef je nou? dat is bekend hoor, dat is betoel! geen fabeltje zoals jullie ziet.

$\text{\Large)\hspace{-0.3em}\Large (}$

Als de prinses haar paardje kan terugvinden, zegt pak Said, dan moet het met die piano van jou ook lukken. Izak hoort het niet, hij hoort nog steeds niks, hij leest het van pak Said z'n gezicht.

Ze lopen ze lopen, de straten branden onder hun voetzolen, alleen het paard heeft nergens last van, het lacht en laat zich kussen door zijn meisje.

Ga toch op dat stomme beest zitten, zegt pak Said, je bent de prinses van Siri-Sori en dat niet alleen, je bent ook nog moe.

Nee bapa alsjeblieft! ze wil niet boven op hem zitten, boven op de lappen de doeken de kleden, hij heeft het al zwaar genoeg gehad, vindt ze, het arme lieve dier.

Een hele tijd al volgen ze de tramrails, Izak volgt hem met

een stok die hij door de gleuf laat lopen, hier rijdt de stoom-tram als het goed is, maar het is niet goed, hier is de oorlog, overal groeit gras, Izak denkt aan zijn vader, is hij hierheen gegaan? hij mist hem niet, bapak is zo vaak weg, op patroli in de rimboe, op mars tegen Djepang, bapak is altijd weg, Izak weet niet beter.

Hij kijkt op naar de hoge huizen, wonen daar mensen ach-ter die honderd holle ramen? of staan ze daar maar, die grote gebouwen? omdat ze er in een grote stad nu eenmaal moeten zijn. Hij kijkt op naar al die blinde vensters, zwart als de nacht. Zitten de mensen van Krokodillenstad daarachter on-zichtbaar te wachten? op wie op wat? op drie Molukkers en een paard op zoek naar een piano?

Pas je op! schreeuwt pak Said, awas! zijn mond neemt een paar happen lucht, bersiap! schreeuwt hij, pelopors! Hij duwt Nesrine en Izak tegen een gevel, tegen de grond, hij trekt het paard aan het bit, ze moeten met zijn allen achter onder het beest gaan schuilen. Ze schieten uit de ramen, Izak ziet het niet, hij hoort ook niks vandaar misschien. Ja! hij denkt dat een kogel opstuitert midden op de straat, hij ziet het zand het stof opstuiven, de kogel ziet hij zo gauw niet meer. Schieten ze op ons? op wie schieten ze eigenlijk? On-hoorbaar, onzichtbaar suizen de kogels door de straat, zij we-ven een metalen web in de lucht, hij kijkt hij kijkt, hij ziet het niet, de lucht is schel van het licht, zijn het de kogels die zo glimmen?

Boven de huizen daalt een kraanvogel op brede, stille vleugels, zijn schaduw valt over de gevels, de straat, nee het is geen kraanvogel maar een vliegtuig, het poept bommetjes, heel duidelijk nu ziet Izak het gebouw aan de overkant ontploffen, ook het paard valt om, het valt over hen heen, ze moeten het weer overeind duwen.

Ondertussen is het gebouw aan de overkant ingestort. Er is alleen een stuk muur blijven staan, met de raamgaten er nog in, verder liggen er bergen puin, zo gauw als dat gaat. Izak staat versteld, hij kan zich niet eens meer herinneren hoe het gebouw eruit heeft gezien. Er hangt nog wel een stofwolk boven de ruïne, maar die heeft een andere vorm, je kunt er niet echt een huis in zien. Pak Said moet ervan hoesten, hij bindt zijn halsdoek voor zijn mond en neus, hij trekt uit de paardenstapel een gebatikte kain en nog een van ikat, hij werpt 'm Izak toe, bij Nesrine bindt hij hem teder om, zij moeten hun neusjes hun mondjes beschermen tegen het stof, zegt hij, het is viesvuil stof van dooie Javanen bah!

〤

Het is een rare oorlog deze perang, verzucht de prins, ik snap er geen jota geen snars meer van, tidak apa-apa ja! Zijn nu de Javanen op de Molukkers aan het mikken? en wie zijn zij, die bommetjes komen losknallen uit de blauwe hemel? wie toch! het grote Belanda is op de vlucht, Djepang is nergens meer gezien, de totok zegt het zijn de tommies, wie zijn dat wat doen zij hier? hij haalt zijn schouders op, pak Said, zijn

schietgeweer veert op en neer, wat moet hij in deze kapotge-
schoten kota terkoetoek? nee hoor! wat hier op straat aan de
gang is, dat is echt zijn oorlog niet, hij trekt liever de bossen
in, tussen de dieren de bomen de rivieren de ravijnen de vul-
kanen, daar hoort hij thuis.

Izak zwemt als een vis in zijn eigen stilte rond, hij denkt,
zijn gedachten dobberen: in deze stad staat een gebouw, ergens hier in de Krokodillenstad staat een gebouw en in dat
gebouw is een kamer, een ruimte, en in die kamer die ruimte
staat misschien! de piano van njonja. Hij kijkt omhoog de
lucht in, gaat het weer bommetjes regenen zometeen? kijkt
hij. De huizen vallen hier om waar je bij staat, straks staat er
geeneen meer overeind, is de piano begraven onder het puin.

Pak Said friemelt een kreukelig papiertje uit zijn zak, daar-
op heeft de tegenstribbelende totok in bahasa Belanda met
mooie krullen en lussen een adres geschreven. Hij geeft het
aan Izak, hij weet niet dat de jongen is vergeten hoe het moet,
lezen, zo lang is hij al niet naar school geweest, de meester is
op kamp, al sinds de oorlog begonnen is. Het adres dat ik je
geef is van een Chinees, zegt pak Said, hij heet Masta Pelmasta Wong, hij is kepala van de muziekschool, hij kent piano's
jongen, hij weet er alles van.

Ze gaan mij verlaten, het snijdt, het prikt door hem heen,
adoeh ze gaan mij hier in mijn eentje in de Krokodillenstad
achterlaten, dag jongen zegt de prins al, hij klopt hem op z'n
rug, het ga je goed, jongetje van Ambon, ik heb er alle vertrouwen in, jij gaat je dingetje vinden je dingetje tingeling, je

piano ja, en ook die Hollandse mevrouw hoe-heet-ze, alles komt goed hoor, dat is altijd zo, daar slapen wij geen nachtje minder om!

De prinses is al niet meer van hier, haar ogen als vijvers zij spiegelen alleen nog verte, hij ziet zichzelf er niet meer in terug, ze zit schrijlings op haar paard, het is een plaatje dat hij kent uit een boek een verhaal, niemand weet of het echt is gebeurd.

De prins begint in zijn rug te porren te duwen, kom jongen ik help je wel op weg, het is die kant op, een paar keer rechts een paar keer links, daar is het dan, het is een deur, zeker weten, je herkent 't meteen, je moet niet huilen jongen, dat moet je niet doen hoor! Izak schudt zijn hoofd, nee hij hij gaat niet huilen, hij gaat een paar keer rechts en een paar keer links, hij gaat aanbellen bij toean Masta Pelmasta Wong en vragen meneer, heeft u misschien ergens een piano gezien? hij is van njonja, weet u, en ik kom hem ophalen.

Nu hij hier in zijn eentje loopt, lijkt de stad nog kapotter dan ie al was. Door de gaten tussen de huizen ziet hij de zee. Of is 't de lucht? dat is niet goed uit te maken. Hier ergens moet hij links, een lange laan moet het zijn, met aan weerszijden klapperpalmen, de bladeren zijn groene bruine veren zij wapperen in de zeewind. Hij kijkt omhoog, het hoofd in de nek, hoog jongen! de palmstammen, het zijn palen die tot diep in de hemel groeien, hij kijkt naar voren, de verte in, het is een palissade van palen van stammen, een tunnel waar het licht doorheen kan, als hij ze met zijn vingertoppen zou aanraken, zou hij ze voelen ribbelen.

In het wegdek zitten kuilen, je moet eroverheen stappen springen, sommige zijn zo diep, daar kun je je in verstoppen, je moet eromheen lopen, zo groot zijn ze.

Op de voorgalerij van een vrijstaand herenhuis, waarvan de roomblanke planken zijn geperforeerd met kogels en de zwarte gaten vreemde, nietszeggende patronen vormen, zit een grote kleurige vogel, hij zit op de rugleuning van een ro- tan stoel.

Izak ziet hem niet, hij probeert aan de prins te denken, aan de prinses, hij voelt iets droevigs, maar dat komt doordat hij alleen is gelaten, eerlijk gezegd kan hij ze zich al niet meer precies herinneren, hij weet niet hoe dat moet, ze waren er steeds en nu zijn ze er niet, hij moet ze zien, als hij ze ziet, dan weet hij het weer. Als je iets mist, moet je het eerst vinden, anders weet je niet wat het is, zoiets is hij aan het denken. Hij weet het niet zeker, hij voelt alleen een gaatje dat in zijn bin- nenste wordt geknaagd, met kleine scherpe heimweetandjes, het is een donker gat, precies daar waar alles wat weg is be- gint.

Pas op! schreeuwt het door hem heen, door heel dat stille binnenste van hem, er lopen mannen, hij heeft ze gezien heeft hij ze gezien? ze lopen aan de andere kant van de palm- stammen, de buitenkant, hij ziet ze en ziet ze niet, ze flakkeren af en toe op als zonlicht. Kadang-kadang, daar zijn ze ja!

Hij duikt weg, gauw! in zo'n mansdiepe kuil midden op de weg. Het asfalt is aan de randen zacht en plakkerig geworden, hij ruikt de teerwalm, de scherpe stenen de losse brokken snijden in zijn handen zijn knieën. Zijn lichaam is groter dan hij dacht, hij krijgt het niet goed weggeborgen hier. Het gevoel dat hij stikt: zijn oren zitten dicht hij houdt zijn adem in, hij knijpt zijn ogen dicht, helemaal in zichzelf teruggetrokken heeft hij zich. Als zijn lichaam een ding is dan heeft hij zich in dat ding verstopt, als ze het vinden vinden ze hem nog niet, hoopt hij.

Of gaan ze het opensnijden? Snijden ze lichamen open om te zien wie erin zit?

Omdat hij niet kan horen, weet hij niet wat er gebeurt. Waar zijn de mannen? lopen ze d'or? kijken ze rond? Hij weet niet hoe lang het duurt om zo'n lange brede straat door te lopen, met gaten erin en losse brokken, hij weet niet hoe hij dat moet tellen meten, misschien moet hij maar gaan slapen, als hij wakker wordt zijn ze weg.

Maar ze zijn niet weg. Ze staan vlak bij zijn kolong te praten te roken, ze wijzen met de punt van hun geweer, ze wijzen naar een bepaald huis. Ze hebben hem allang gezien, het kan hun kennelijk gewoon niet schelen, een jongen in een kuil, wat moeten ze daar nou mee?

Izak wacht en hij wacht, tot hij niet weet waar hij op moet wachten. Tot er niks is? maar er is nu al niks, hij zit midden in het niks.

Als hij zijn hoofd boven de rand piept ai! ziet hij de mannen meteen, zijn het soldaten? pemoeda's? Ze letten niet op hem, zo lijkt het, ze zijn te druk met elkaar in gesprek.

Daarom waagt hij het erop, hij gaat lopen, eerst langzaam dan steeds sneller, hij heeft zijn hoofd al tussen zijn schouders, alsof hij een steen voelt aankomen, een klap in z'n nek, een eind hout een looien pijp. Omkijken durft hij niet, hij weet niet wat er achter hem gebeurt. Het is een heel eind tot de hoek, hij kan ook tussen de huizen de gebouwen duiken, kijken of hij daarlangs weg kan rennen. Hij doet het niet, het zou vluchten zijn, wie vlucht heeft schuld, die moet boeten. Wandelen is beter, hier lopen of je er hoort, niet opvallen.

Er wordt iets geroepen. Berhenti! of iets dergelijks. Hij hoort 't niet natuurlijk, met zijn dichte oren, hij voelt alleen kasihan! hoe ze hem in zijn kraag grijpen, au! de vettige knoop van zijn baadje knelt zijn keel af. Dan pakt de man hem bij zijn nek, tilt hem zo! met één hand van de grond, met de andere rookt hij zijn sigaret. Heel stil hangt hij in de lucht, hij durft niet tegen te spartelen, straks knijpt de pemoeda zijn nek doormidden, het doet pijn jongen, de tranen springen in zijn ogen.

Iemand trekt hem los, zet hem ruw op een van de andere mannen, op diens schouders is de bedoeling maar hij komt half op diens hoofd terecht, de man weert hem af met maaiende armen, Izak trapt om zich heen, krijgt een klap die hem doet duizelen. Dan zet degene die hem vast heeft hem zelf maar op zijn eigen schouders. Hij roept iets, iedereen lacht. Izak ziet de monden bekken worden, muilen met vleesetende tanden, hij hoort niks, hij ziet ze happen happen, de bekken bijten van plezier, de ogen blijven waakzaam, zij doen niet mee.

Als het hun verveelt, zetten ze hem weer op de grond. Ze vragen hem iets, ze vragen het vriendelijk, ze bedreigen hem niet.

Izak weet niet wat ze bedoelen, hij voelt nog steeds de harde klap die hij kreeg, willen ze hem helpen? wat willen ze van hem? Hij denkt: moet ik het adres van Masta Pelmasta Wong laten zien? of mogen ze dat niet weten? hij weet niet of een Chinees ook een vijand is, hij wist niet eens dat Javanen vijanden waren! hij dacht Djepang! de Kenpetai ja!

Hij frommelt het adres te voorschijn, laat het papiertje rondgaan. De mannen buigen zich erover, bestuderen de letters aandachtig, kunnen ze niet lezen? denkt Izak, dat is 't, ze kunnen niet lezen, ze buigen zich over het papiertje als over een bladzijde van de Koran, waar de woorden groeien als wingerd de zinnen slingeren zich over de pagina, er is er een die zegt dat hij het weet, hij wijst een paar keer links een paar keer rechts, daar ergens moet het zijn zegt hij.

De anderen beginnen nu ook een paar keer naar links en een paar keer naar rechts te wijzen, iedereen staat te wijzen te praten, iedereen weet 't.

Izak steekt zijn hand op, terima kasih zeggen zijn lippen, bedankt zeggen ze, dan ga ik maar! zeggen zijn benen, ze zeggen het met hele grote snelle stappen, daar gaan ze!

IV

De muziekschool is gemakkelijk te vinden, Masta Pelmasta Wong staat al voor de deur op hem te wachten, een onwerkelijk heldere gestalte, onberispelijk uitgevoerd in zwartwit, zijn lakschoentjes glanzen gelijk de pommade in zijn pikzwarte haar. Hij leunt losjes tegen de deurpost, hij doet dat in virtuoze stijl, con sprezzatura, alsof hij buiten op de stoep even staat te pauzeren tussen twee concertstukken door.

Door het gemak waarmee Masta Pelmasta Wong zich daar bevindt, dringt het niet meteen tot Izak door dat het gebouw waar de virtuoos tegenaan leunt, grotendeels is ingestort.

De berg puin van de vernietigde verdiepingen vormt een soort puntdak, Izak vindt het niet speciaal vreemd of zo, hij kent het gebouw alleen op deze manier, vandaar dat het hem niet echt opvalt. Hij moet trouwens omhoog kijken om het te zien, maar hij vergeet het, zijn gastheer zuigt alle aandacht op, nog nooit heeft hij zo iemand gezien, zelfs bij njonja Alma niet, hij heeft ervan gehoord hij heeft ervan gedroomd, hij weet er dus van in zekere zin. Het verbaast hem alleen dat zo'n man hier nu staat, zo gewoon. Het enige vreemde is hijzelf, de kleine Ambonese jongen Izak, zo schuchter als hij wordt, zo dicht bij het pianogeheim.

Masta Pelmasta Wong heeft meteen door dat hij doof is, ook al zoiets.

De begenadigde laat zijn sigaret vallen, een nodeloos ding dat door de vingers wordt afgestoten. Elegant draait de schoen al het vuur eruit. Kom maar mee, zeggen zijn neigende hoofd, zijn wenkende hand, ik heb iets voor je.

Ze gaan de schaduw in, betreden een witmarmeren gang met korinthische zuilen, koel is het hier. Tussen de zuilen, precies in het midden steeds, knoeperds van sokkels met allerlei ernstige mannetjes erop, ja alleen de hoofden en het bovenstuk van het lijf, afgebroken totoks lijken het, door vakmensen op originele javasteen gemonteerd bij wijze van prothese voor het verdwenen lichaam. In de verte vermoedt hij een deur nee een poort verborgen achter gedrapeerd rood velours. Zou daar de concertzaal – ? Hij heeft ervan gehoord, njonja heeft hem erover verteld, het zijn zalen met ongeveer honderd à duizend stoelen, maar stil dat het er is, iedereen probeert de piano te horen, alleen als het helemaal stil is, kun je 'm horen, zegt njonja, zo stil als het nu in mijn hoofd is, denkt hij.

Masta Pelmasta Wong duikt echter een trapgat in, leidt hem via versleten houten treden naar een schemerduister souterrain.

Overal aan de muren hangen muziekinstrumenten, sommige herkent hij van de taptoes in de tangsi, als de koninklijke legerkapel in kaki op het oneindige grasveld in de hete zon stond te schetteren te tetteren. Trompet, herkent hij, klarinet, trommel, dwarsfluit. Bám bám stampen de zware schoenen in de maat, uit de maat, in de maat. Hij ziet verder: gitaar, biola's, grote biola's, een soort gitaar die van een platte trommel is gemaakt, en een heleboel vreemde fluitdingen en toeterbenodigdheden.

Achter een gordijn met gebatikte draken heeft Masta Pelmasta Wong een gelakt ladekastje staan waarin hij flesjes en doosjes bewaart, het is zijn medicijnkast met zelf gemaakte en zelf geïmporteerde huismiddeltjes. Je kunt erin geloven of niet, zo luidt zijn adagium, maar het werkt als een tierelier! Hij is een Chinees en een Chinees houdt ervan de wonderen een handje te helpen, ze te mengen als het ware met een beproefd recept uit vergeten tijden.

Hij kiest een flesje wonderolie dat wijlen zijn oudoom destijds persoonlijk heeft meegebracht uit de bekende provincie Hokkien, het stamt nog uit de goede oude Tjing-periode. Onderwijl gebaart hij Izak op een gevlochten bijzettafeltje plaats te nemen.

Maar eerst pakt hij een antieke spreekhoorn, hij ziet er met zijn wonderlijke kronkelvorm uit als een exotische schelp. Izak denkt: wat een raar muziekinstrument, zeker wanneer Masta Pelmasta Wong het dunne uiteinde bij hem in zijn oor prikt. Stil blijven zitten, gebaart hij, dit is een proefneming. Of Izak het schelpachtige instrument zelf wil vasthouden ja, dan kan hij het testgeluid maken, hij kiest daarvoor een heel klein fluitje waarop hij met bolle wangen begint te blazen.

Heel in de verte hoort Izak iets, maar het kan ook een zoemtoon zijn die in zijn oor zelf zit.

Zijn Chinese genezer knikt nadenkend, hij weet genoeg, hij neemt de spreekhoorn weer in, komt nu met een blikken trechtertje op de proppen. Izak moet op zijn zij gaan liggen, op het bijzettafeltje nog steeds, hij krijgt een muf zitkussentje onder zijn hoofd geschoven, waarna de Pelmasta zijn oor volgiet met olie, het gutst eroverheen, hij voelt een straaltje langs zijn hals in zijn nek druipen. Eerst moet het intrekken, gebaart de heelkundige met voorzichtige handen. Daarna dient hij zich op zijn andere zij te draaien. Andere oor, zelfde behandeling.

Masta Pelmasta Wong trekt aan een koord, hij hijst een stoffige klamboe op die Izak helemaal niet had gezien, pas nu het gazen net verdwijnt, richting plafond, merkt hij het op.

Hij ligt nog steeds op het bijzettafeltje, hij weet niet of de behandeling officieel al is afgelopen. Wel is hij overeind gekomen, hij leunt op zijn elleboog, zo kan hij beter zien wat er gebeurt.

Eerst ziet hij alleen dwarrelend stof, dat zich verzamelt in het weinige licht, het glinstert alsof het iets kostbaars is, zo teer, zo bijna niet van hier.

Dan ziet hij hem pas, het duurt even eer het tot hem doordringt. Hij heeft zoiets nooit gezien, zijn ogen weten er geen raad mee, een witte, hij wist niet dat zoiets bestond, hoe moet je naar iets kijken wat eigenlijk niet bestaat? Een witte vleugelpiano. Midden in het lichtgetinkel van het dwarrelstof doemt hij op als een tovergestalte, een droomverschijning.

Is het wel een piano? zo wit, het kan haast niet, is het niet iets anders? wat is het eigenlijk?

Hij gaat rechtop zitten, heeft geen rust meer, staat op om beter te kunnen kijken.

Masta Pelmasta Wong heeft de klep opgetild, doe je mondje maar open pianobeestje laat je tandjes maar zien. Hij zit nu te verzitten op de kruk, dan weer naar voren dan weer naar achteren nooit is het goed, hij schuift, de kruk schuift en steeds maar achterom kijken, de Pelmasta, waar zijn billen toch blijven. Vervolgens strekt hij voorzichtig zijn armen, controleert of de polsen onder de manchetten vandaan schuiven, ja ze werken nog, de armen doen het nog.

Laat de vingers maar gaan, denkt Izak, laat ze maar lekker over de toetsen trippelen.

Het is lang lang geleden dat hij een piano heeft gehoord, en nu een witte, dat is nieuw voor hem.

Dan, als hij gereed is, kijkt de maestro zijn kant op. Heehee neenee, gaat de wijsvinger, niet staan! dat mag niet hoor. Hij gebaart hem onmiddellijk te gaan liggen op het bijzettafeltje, de behandeling is nog niet voorbij, de eigenlijke geluidstest begint nu pas.

Tastend beroeren de vingertoppen de witte toetsen, de zwarte worden vermeden, heel licht strelen de vingers het wit, zo zacht, nee hij hoort niks, Masta Pelmasta Wong kijkt hem vragend aan, nee schudt hij, ik hoor nog niks, nee zelfs niet een klein beetje, zo stil als die handen zo stil is mijn hoofd.

Het kriebelt alleen een beetje van binnen, in het kronkelige gangetje het slakkengangetje van z'n oor, maar dat kan ook van de wonderolie zijn.

De handen gaan en gaan over de toetsen, Masta Pelmasta Wong kan het zelf niet geloven wat zijn handen doen, zijn armen kunnen ze nauwelijks bijhouden, zijn lijf helt naar links naar rechts naar voren, de handen maken hem gek, hij moet ze loslaten, ze gaan nu volledig hun eigen gang.

En onderwijl dwarrelt het toverfonkelende stof op hem neer, op zijn glimmende zwarte haar op zijn zwarte rokkostuum. Het schittert als het dwarrelt, het stof, maar het schittert niet meer als het neerligt op de pianist, die valer en valer wordt, tot je hem vergeet.

En daar is het! Izak denkt eerst dat hij het droomt, de tinkelende tonen die in zijn oren naar binnen komen tuimelen, ze zweven ze dansen, ze raken geen grond ze zijn van lucht, zo hol zo licht, zo kristalhelder en doorschijnend.

)(

De wonderolie komt uit Hokkien, nee hijzelf niet. De Pelmasta's komen uit Ulm, zegt hij, dat ligt in een land dat Djerman heet.

En om er een verhaal van te maken vertelt hij over zijn interessante studieverblijf in Ulm, hij heeft daar onder anderen bij professor Klopfholz gestudeerd, alwaar hij onderscheiden werd met de titel van Meister Kapellmeister, vandaar dat Wong zich thans Masta Pelmasta noemen mag, iets wat niet veel mensen in Indië hem na kunnen zeggen!

Djerman is een van de mooiste landen op aarde, mijmert hij, van welke hij kent is het 't mooiste, zegt hij. Alles blank en koel en helder, zo voornaam allemaal. Een gedeelte van het jaar wordt het hele land bedolven onder een dikke laag bibberkoude wittigheid die door de mensen aldaar sneeuw wordt genoemd, iedereen zit dan binnen in z'n huisje en stookt een vuurtje om het warm te krijgen, ze gaan dan pianospelen en zingen, in ieder huisje zingt men een lied, zo muzikaal is dat land. Zelfs de forellen in de bergbeken kunnen zingen, als zij uit het water opspringen reiken zij met gemak tot de dubbelgestreepte c, die snoepen zij als een vlieg uit de lucht.

En wie is deze witte dwerg? Iemand uit Djerman? vraagt Izak, hij wijst naar een buste die op de piano staat.

De Kapellmeister schudt het hoofd. Eigenlijk hoort hier Masta Wiwi Betopi te staan, hij is helaas bij een van de eerste bombardementen op Soerabaja gesneuveld, ik heb de stukjes nog een tijdje in een doos bewaard. Dit is Masta Pedrik

Tjopèh, die had ik nog over, je kreeg in mijn tijd in Ulm een Tjopèh cadeau bij aankoop van twee kilopakken Duitse bami. Hij is ook goed hoor, een honderdprocentige pianokampioen, maar niet zo goed als Masta Betopi, de Grote Dove. Helaas was hij al honderd jaar dood, toen ik in Ulm aankwam, anders had ik hem met de overgeërfde wonderolie kunnen genezen. Twee van die oortjes, die had ik ohne Bohne weer aan de praat gekregen, zoals ze dat in Djerman zeggen.

Izak kijkt naar zijn handen en vraagt: heb ik ze? pianohanden? Njonja Alma heeft het gezegd, ze heeft mijn handen gepakt, ze zegt tegen mij: dit zijn pianohanden zowaar ik hier sta.

Masta Pelmasta Wong kijkt hem dromerig aan, in zijn ogen twinkelt nog de Duitse sneeuw.

Een goede pianohand, zeiden ze in Ulm altijd, telt in de eerste plaats vijf vingers, waarvan de nagels schoon en geknipt dienen te zijn. Daarenboven is zij kort en breed, dat wil zeggen: de vingers kort en de handpalm breed. Het gaat om de grijpwijdte, in gestrekte positie, van de duim enerzijds tot de pink anderzijds. Een korte vinger levert in de breedte weliswaar iets in. Daarentegen bereikt slechts de korte vinger boven het manuaal de perfecte positie, een lange vinger ligt al snel te ver op de toets; de juiste aanslag vindt echter plaats vooraan, waarbij de hefboomwerking van het mechaniek optimaal gerealiseerd wordt, evenzogoed in het pianissimo als in het fortissimo.

En ik? piept hij.

De Kapellmeister pakt zijn hand, begint erin te kneden, voelt de botjes, test de vlezigheid, trekt de vingers uit elkaar. Kun je elke vinger los van de andere bewegen? beweeg de ringvinger 's naar de pink, nee, niet de pink naar de ringvinger! en de middelvinger?

Ze plakken, denkt Izak, die stomme vingers, ze zitten aan mekaar vastgeplakt.

Hm, steunt de Chinese leermeester, verzonken in gedachten, hij schudt langzaam zijn hoofd. Er zit niet veel leven in dat middelste spul, dat kan een probleem worden, maar de rek is goed, in de breedte is alles in orde.

X

Hij trekt Izak aan zijn bezwete baadje, neemt een stukje van de stof tussen duim en wijsvinger. Tweede les, zegt hij, en laat het hemdje los. Pianisten stinken niet. Van Masta Pelmasta Betopi was bekend dat je 'm nooit rook. Als hij in het donker achter je stond, wist je niet dat hij daar stond. Maar als hij hoestte? probeert Izak. Ja, als hij hoestte, dan wel, maar ruiken deed je hem niet.

In een oogwenk, met flipperende blik, neemt de meester hem de maat. Boven heb ik nog wat liggen o nee, boven is gebombardeerd. Maar gelukkig heb ik de jongenskleren naar beneden gebracht, de kast met kleren voor het schoolorkest, nee niet de kast, die is in puin geschoten, men kijkt nergens meer van op tegenwoordig, maar de kleren heb ik op tijd eruit gehaald. Je weet nooit, zeggen ze, maar ik wist het wel, een bommetje is gauw gevallen. Hier heb ik ze. Wie zijn hand in de kasten steekt, zeggen ze in Ulm, heeft vrijwel altijd beet.

Het is het officiële schooluniform, ik heb de partij bij het Kulturamt kunnen lospeuteren toen ze me wilden bedanken wegens mijn grandioze spel op het beroemde Wurlitzer-orgel te Würzburg, ik zei ik ga akkoord met honderd stuks, zij wilden tot vijftig gaan, we stonden daar een tijdje te tawarren, toen heb ik er zeventig gekregen. Meer zat er niet in.

De aangeleverde kleding bestaat uit een korte broek van geitenleer met voorschoot, poepklep en schouderbanden, spierwitte kniekousen, een evenzowit overhemd en een kort groen vilten jak zonder kraag. Op de plek van het hart heeft iemand een zwarte vogel genaaid.

Izak wil het pakje aantrekken. Neenee, zegt de Masta Pelmasta, en hij trekt hem mee naar achteren, het is helemaal achter in het souterrain. Als de meester een gordijn opzijschuift, ziet Izak getraliede bovenraampjes, waardoor het zonlicht in bakken naar binnen wordt gekieperd, het blijft hangen in het stof. Hier gaan wij jou wassen.

Waar? denkt Izak, hij ziet geen mandibak.

Hier, zegt Masta Pelmasta Wong, en nu pas ziet Izak de rij aquaria, het licht valt erop, hij ziet de goudvissen zwemmen, ze zwemmen geen rondjes maar vierkantjes, met hun staarten maken ze rechte hoeken, ze snijden niks af.

Hoppla! roept de meesterchinees, wanneer hij er eentje met zijn blote hand uit het water vist, en hoppla! nog één! hij plopt ze gewoon in de volgende bak.

Dan kleedt hij Izak uit, pakt hem onder zijn oksels en hopla! hij plonst hem zo in het leeggeviste aquarium, Izak past er niet in, het water klotst over de rand, hij past niet maar hij zit er toch in, hij voelt het slijmerige wier van waterplanten zachtjes glibberen tussen zijn vieze billen. Of is het een vergeten goudvis? die zich daar verstopt. Getver! hij zwemt ertussen, tussen zijn billen! Izak wil overeind, maar de muziekmeester drukt hem veerkrachtig terug in de glazen bak. Eerst wassen.

Als Izak schoon en aangekleed voor hem zit, wil Wong van hem weten hoe of wat. Njonja Alma zegt hem niks, Malang zei je, een groot wit huis in de bovenstad? Nee, de enige pianiste die ik daar heb zien spelen is de in heel Indië beroemde Käthe Diehm-Winzenhöhler, ik kon al noten lezen, ik mocht haar bladzijden omslaan, ik denk dat ik even oud was als jij nu bent. Het was, als ik me goed herinner, een werk van Pelmasta Pa Seelig, iedereen kent hem toch? hij is de Pelmasta van Soerakarta. We traden op in de grote zaal van Concordia, ken je dat gebouw? ja, de Soos, die bedoel ik.

Er mogen eigenlijk alleen Europeanen komen, dat klopt, maar omdat ik noten kon lezen, moesten ze me wel binnenlaten. Anders kon het concert niet doorgaan.

Izak vertelt dat hij verantwoordelijk is voor de piano van njonja Alma. Zij gaat het hem leren, zegt hij, als zij terug is, gaat zij hem leren noten lezen. Maar eerst moet hij de piano terugvinden, hij is helemaal hierheen gekomen vanwege njonja's piano, zegt hij.

Wat is 't er voor een? vraagt Masta Pelmasta Wong. Een Knies & Cie. zeker?

Heeft de piano een naam? Daar heeft Izak nooit iets van gemerkt. Hij voelt in zijn zak. Zal hij de sleutel laten zien?

Masta Pelmasta Wong weet al iets. Hij krijgt nog steeds elk jaar uit Ulm de pianokalender van Djerman opgestuurd. Die heeft hij stuk voor stuk keurig bewaard, zonder ook maar een enkel blaadje af te scheuren.

Is het iets met Stein? informeert hij. Is het een Bechstein, een Steinberg, een Steinbach? Is het een Furstein, een Steinmayer, een Steinhoff, een Steinmann? Of anders misschien een Steinbert? een Steingraeber, een Steinlager? maar een Steinway zal het niet zijn, toch? Hij bladert verder. Een Klingel, een Hupfeld? Een Blüthner denk ik niet, een Bösendorfer uitgesloten. Maar een Ibach of toch gewoon een Schimmel? Een Thürmer, een Rönisch, een Förster, een Feurich, een Kühne, een Uebel? Een Hoffmann, een Herrmann, een Zimmermann, een Klingelmann?

Izak bekijkt nauwkeurig de grote platen waarop de showroom-modellen staan afgebeeld. Hij weet het niet meer, ineens. Is het belangrijk om te weten hoe hij heet, denkt hij? Nu er zoveel zijn, raakt hij in de war, hij kan de namen niet onthouden, en ook de verschillen ziet hij niet. Een piano is een piano, denkt hij en de zijne is van njonja.

Masta Pelmasta Wong bladert onvermoeibaar voort door de Duitse pianojaren.

Bij elk type geeft hij informatie, nu eens betreffende de hardheid van het ivoor, de zachtheid van het vilt, de veerkracht van de studiepedaal, dan weer roemt of bekritiseert hij de glans van de politoer, de spanning van de snaren, de terugslag van de toets, hij gaat in op de nazang van de klank, de helderheid in de rechterhand, de diepte in de linker, hij kraakt ergens een klepje af of bewierookt het brons, maar steeds benadert hij de modellen persoonlijk, alsof hij ze stuk voor stuk uit eigen ervaring kent.

Maar de piano van njonja kent hij niet, denkt Izak geërgerd, terwijl de foto's maar doorgaan, ze blijven maar komen, zou Masta Wong steeds dezelfde plaatjes laten zien? ze lijken steeds meer op elkaar, denkt Izak, ze lijken nu nog meer op elkaar dan in het begin.

Maar dan, als hij er niet meer in gelooft, ziet hij 'm. Terug! terug! roep hij, beveelt hij, neenee, nog verder, neenee, dat is te ver, daar! ja, dat is 'm.

Njonja's piano blijkt te zijn afgebeeld in *Ein schönes Klavierjahr... 1940.*

Izak weet 't zeker, dit is 'm, het kan niet anders. Hij weet niet waaraan hij 'm herkent, de afgeronde hoeken van de lessenaar? de gedraaide voorpoten? of alles bij elkaar? Alleen is de foto, dat ziet hij meteen, niet bij njonja thuis gemaakt.

Wong kijkt er bedenkelijk naar. Het is een Pleyel, stelt hij vast. Die komt uit Negeri Perantjis, voegt hij eraan toe, terwijl hij een gezicht trekt alsof hij per ongeluk iets poepachtigs heeft doorgeslikt, een Franse dus. Dat geeft te denken, in zijn algemeenheid tenminste. Een Duitse piano zingt in al zijn achtentachtig tonen, een Franse praat mij te veel. Verder is het een respectabel bedrijf, Pleyel, niks mis mee, ze bouwen ze daar al heel wat langer dan ze kunnen navertellen. Fraaie belijning, subtiele materiaalverwerking. Prachtig allemaal. Maar voor de muziek, zeg ik altijd, kun je beter in Duitsland zijn.

※

Mag hij 'm? hij moet 'm! mag hij hem alstublieft hebben? Hij zal heel voorzichtig scheuren, echt waar Masta, ik zal zo voorzichtig scheuren dat je het haast niet ziet, alleen als je het weet, zul je het zien, dan zie je dat er iets vreemds gebeurd is in het mooie pianojaar 1940, maar anders niet, als je van niets weet lijken alle jaren nog evenveel op elkaar als eerst.

Goed dan, knikt Masta Pelmasta Wong, het mag omdat het maar een Pleyel is, maar dat zegt hij er niet bij, hij zegt niet dat hij zo'n Franse roestbak net zo lief kwijt als rijk is. Als jij het per se wilt, beres! knikt hij toegeeflijk, dan mag jij hem hebben hoor.

Nog nooit is er iets uit de Duitse pianojaren gescheurd, het doet de Kapellmeister meer dan hij wil bekennen, hij raakt hier iets kwijt wat hij nooit nooit meer terug zal krijgen, iets dat meer is dan een maand uit een jaar, meer dan een piano temidden van talrijke, er wordt hier iets aangeroerd, aangetast, zijn ongerepte Duitse sneeuw van weleer wordt plotseling betrotteld, er sterft iets, iemand, het voelt aan of hij het zelf is, die het loodje legt, in zijn hoofd zet Masta Betopi alvast een adagio in, het is zomaar ineens een middenstuk, de tonen vloeien onder de vingertoppen vandaan, ze waaieren alle kanten op, er lijkt een vaas met bloemen te zijn omgevallen en Masta Betopi maar dweilen, toch is er geen beginnen meer aan! het bloemenwater gaat zijn eigen weg, het druppelt het druipt het hangt als tranen aan de tafelrand.

Naar buiten toe houdt de Kapellmeister zich groot, een man moet zijn eigen gewicht kunnen tillen, ja aan zijn eigen pink als het nodig is!

Hij kijkt o wat kijkt hij! o wat worden zijn ogen groot wanneer Izak behendig het blad afscheurt. Het is een mooie plaat, zegt hij, hij steekt met zorgvuldige zwier een sigaret op, wees er maar voorzichtig mee.

Ja maar Masta, hij is zo groot, zal ik hem vouwen? Izak denkt aan een pakketje dat hij als plat blad achter zijn broekband kan steken. In vieren kan ik hem vouwen, Masta.

Hij is toch al afgescheurd, denkt de leermeester, laat hem dan ook maar gevouwen worden. Rollen is beter, legt hij uit, dan blijft de plaat intact, maar als jij hem in kleine partjes vouwen wil, ga gerust je gang, het is maar een kiekje, zoals het gezegde luidt, de ware afbeelding bewaart men in zijn eigen hoofd, en de werkelijkheid, voegt hij er nadenkend aan toe, is weer ergens anders, om over de piano zelf maar te zwijgen.

Izak hoort de stem zoemen, een vlieg die naar binnen naar buiten wil. Hij vouwt de prachtige plaat zo recht als hij kan, klapt 'm nog één keer open, om te controleren of de piano er nog in zit, vouwt het blad weer dicht, het werkt! en steekt het handzame pakketje dan achter de broekband van zijn pas verworven Ulmer uniform, onder het overhemd, zodat niemand het te weten komt.

)(

Eerst gaan zij heel lang wachten. Izak weet niet of het uren duurt of dagen, zo lang is het. En hoe langer hij wacht hoe langer het duurt! Het wachten maakt het duren er alleen maar langer op.

Hij luistert hoe de Kapellmeister aan het reinwitte klavier zijn vingers soepel houdt, hij telt de toetsen keer op keer, van links naar rechts van rechts naar links, hij telt ze twee aan twee, met drie tegelijk, per hele hand, en weer opnieuw, want steeds vergeet Masta te onthouden wat hij heeft geteld. Hij kijkt hoe Masta zich opdrukt en dan met losse handen! in zijn handen klapt, alsof hij keihard een vieze vette vlieg doodslaat. Hij ligt klaarwakker op een tikar op de grond naast het grote witte zachte bed waar Masta onder een klamboe doodmoe ligt te snurken. Hij prikt net als Masta grauwe bamislierten met zwarte saus uit een gedeukt pannetje. Hij probeert Masta na te zeggen als die Duitse woordjes oefent, maar Izak kan het niet, wat moet hij doen? het lijkt of Masta iets probeert uit te spugen, de Duitse woorden zijn te groot voor hem, hij verslikt zich erin.

Tussendoor wil Izak dwalen, met zijn vingers alles aanraken waar hij bij kan, maar hij mag nergens aankomen, hij mag niet naar boven, naar de galerij met de afgehakte totoks, naar de concertzaal, nee daar mag hij niet komen, hij mag nergens heen, hij moet keurig blijven zitten, zegt Masta Pelmasta Wong, in de muziekleer begint en eindigt elke les met discipline, zegt hij, wie maar wat doet, wordt door de dirigent met het stokje op de vingers getikt, daar zijn die stokjes voor, jongeman, wie niet horen wil die moet maar voelen, ohne Masz kein' Melodie!

En nu stilzitten, boebie, ik ben bezig ja, en jij hebt even niets te doen.

)(

Een Chinees is altijd gewapend, zegt Wong op een dag, hij draagt zijn wijsheid als een dolk die glimlacht in het maanlicht.* En gewapend met deze oer-Ulmer wijsheid wagen zij zich buiten, ze zijn gekleed alsof zij naar een gala gaan, Masta Pelmasta Wong als geïnviteerde virtuoos en Izak als zijn bladomslaander. Wong is overtuigend: zo strak uitgelijnd in

* Wong citeert hier uit de *Chinesische Lyrik* van dr. Victor Hundhausen, sinoloog en dichter, alias 'Schildpad en Draak', zoals het troetelkind van de Ulmer geesteswereld zichzelf placht te typeren.

zwart en wit en met een lange dunne sigaret schrijvend, schetsend tussen zijn vingertoppen, de hele situatie luchtigjes vertalend in tekens van rook.

Izak moet eerlijk gezegd nog een beetje wennen aan zijn muzikale outfit. Er blijkt een rood rugzakje bij te horen dat boven op het groen vilten jasje gedragen dient te worden. Masta zegt: het hoort! het moet erop! in Djerman doen ze het allemaal, de kleine boebies daar.

Het plakt aan zijn rug, om te stikken het jasje de rugzak het overhemd, er kan geen lucht tussen geen adem. Geeft niet, zegt Masta, daar kan het uniform niets aan doen, het komt door de vochtige drukkende hitte, we bevinden ons op lage grond alsmede aan het water, vandaar, het is bedoeld voor krokodillen hier, zij waren er het eerst. Langzaam ademen, zeg ik je, rustig lopen, plan-plan, de tijd tikt in een rondje hoor, hij komt vanzelf weer terug! daar hoef je echt niet achteraan te hollen.

Het rode rugzakje is vol proviand gepropt. Masta heeft de bami tot handzame ballen gedraaid en ze ingepakt in het zachtgeweekte blad van een boom waarvan hij, Masta dus, toevallig eventjes de naam vergeten is, kan gebeuren! maar de boom zelf kent hij heel goed hoor. Hij had ook nog een mango liggen, en verder kreeg Izak van hem een echte zinken drinkfles met een rubberen dop. Voorts een zeep om onderweg handen en voeten te wassen, ja en een doekje om het voorhoofd te wissen.

De fotoplaat van de piano wou hij eerst op zijn lichaam blijven bewaren, maar toen hij zo begon te zweten, heeft hij hem ook maar in de rugzak gedaan.

Eigenlijk moet er in de rode rugzak bladmuziek worden vervoerd, zegt Masta Wong, dat zie je meteen aan het formaat, daar past precies een partituur van Peters in. De jongens daarginds zie je lopen over de holle weggetjes met de mooiste muziek op hun rug. Betopi, Tjoema, Tjoebèh, Tjopèh natuurlijk, de boebies hebben het gewoon bij zich. Dus jongen, als jij je njonja hebt teruggevonden, vragen hè? je moet haar gewoon vragen of je haar pianopartijen op je rug mag dragen, daar begint het in Djerman mee, wie niet kan dienen, weet ook niet wat heersen is, daar zal jouw njonja toch bekend mee zijn, de vaste Klavierstufen: de *Schule der Geläufigkeit*, de *Schule der Fingerfertigkeit*, ach ach, die tjoeli van Djerman, wonder wonder hoor!

Gaat hij mij naar njonja brengen? hoort Izak dat goed? hij durft het niet te vragen, liever niks dan nee.

Ze lopen de kapotgebombardeerde straat uit. In de verte brandt weer iets, maar dat zijn ze wel gewend. Het is in de havens, zegt Masta, net waar wij moeten zijn. Izak kijkt nog eens die kant op. Het lijkt wel een fabriek die regenwolken fabriceert, denkt hij, als ze zwart genoeg zijn gaan ze regenen. Dan gaan ze regenen blijven ze regenen tot alles weer is zoals het hoort.

Wong weet precies de weg. Ze hebben een fietstaxi genomen, ja het kan niet anders, de stoomtram is uit de circulatie. De stoom is zeker op? Ja zoiets moet het zijn, zegt Masta. Ze zitten met zijn tweeën voor op de betjak, gezellig onder de huif, Masta wijst: zie je dat? en daar? zie je dat? hij prikt zijn vinger in het uitzicht, er middenin: daar gaan we heen, boebie, die kant moeten we op. De toekang betjak achter hen fietst geduldig achter de vinger van Masta aan, stuurt behendig om kuilen heen, vangt de hobbels op, hij maakt geen geluid hij hijgt niet hij zucht niet hij zegt niets, alleen de ketting de trappers kraken ze piepen, zeker als de weg een beetje omhoog gaat.

Onderweg zien ze overal loslopende dieren, ze staan in de tuinen, ze steken de straten over, een karbouw zelfs zien ze, en nog een, ze kijken hen aan als ze voorbij komen fietsen. Wat doen die hier? in de stad. Ze zoeken nieuwe mensen, zegt Masta, in de desa's wordt niet meer voor hen gezorgd, iedereen is de oorlog ingegaan, ook de boertjes, sinds de oorlog voorbij is, komen er steeds maar oorlogen bij, iedereen moet dood, vindt iedereen. Zag je dat vlaggetje op het stuur van de toekang betjak? vraagt Masta, dat rode en witte? Dat is het vlaggetje van Indonesia Merdeka, zo noemen zij dat, de Javaanse jongens de pemoeda's, zij schreeuwen hun kelen schor zij schieten met scherp, zij zeggen: eerst was Belanda de baas, toen was Djepang de baas en nu is Djawa de baas.

Schiet de toekang ook met scherp? vraagt Izak zich af, hij is een Javaanse jongen, daar stilletjes achter onze rug, heeft hij een pistool in zijn broekzak verborgen? om mensen te knallen. Maar Izak zegt dat niet, hij zegt het anders. Maar Masta, zegt hij, de toekang betjak doet het niet, de toekang betjak die ons fietst, hij schreeuwt niet. Nee, moet Masta Wong toegeven, de toekang niet, hij ademt alleen. Hij zal ons niet gaan schieten.

Tussen gebouwen door zien ze het brede water van de kali Mas, of is het al de zee? Hier beginnen de havens, zegt Masta Wong, als je goed oplet, zie je misschien de schepen al. Izak kijkt en kijkt, hij ziet er geen, het water schittert te veel.

Op de wal, op de kade, hoe heet het eigenlijk? is het totaal uitgestorven. De ramen van de loodsen zijn ingekinkeld, in de hoeken pluist stoffig spinnenweb, de roldeuren staan te verroesten, op de daken schieten planten op, kleine bomen ook, overal woekert alang-alang, hij ziet een autobus waarvan de wielen zijn weggesloopt, ze hebben er houtblokken voor in de plaats gelegd. Vierkante wielen, denkt hij.

Dit is de oude haven, zegt Wong, we moeten in de nieuwe zijn, aan zee ligt die, waar de grote stomers van de Lloyd voor anker gaan, te groot die boeta's voor hier, voor de gewone rivier.

De toekang betjak hijgt inmiddels, het lijkt of hij iets aan het opblazen is dat steeds weer leegloopt, een zak met een scheur erin, hij blaast op de maat van de trappers. Of trapt hij niet maar blaast hij hen voort? is de huif van de betjak een scheepszeil geworden? en blaast hij hen voort! voort! in de richting van de wijd open zee. Harder en harder gaan ze, als

Izak zich niet vergist, er wordt niet meer getrapt, er wordt niet meer geblazen, de wielen zijn vrij! geef je maar over, jongen, je hoeft niet meer te hijgen, het is de wind die ons brengt.

※

Wong betaalt de fietser een soekoe voor de moeite, met zijn andere hand wijst hij Izak waar hij terechtgekomen is, de hand lijkt wel een gordijn open te trekken, tovert hij? ja met zijn hand een pianohand tovert hij een zeegezicht te voorschijn; precies op de lijn die zee en lucht van elkaar scheidt, verschijnen de silhouetten van Boeginese schoeners, op de voorgrond zeilen de smalle prauwen, en pas als Wong het laat zien ziet Izak ginds op de rede een oceaanstomer van de Rotterdamsche Lloyd, tjonge tjonge wat een boeta van een boot, het is het m.s. Hollander, zegt Wong, hij weet hier precies de weg, hij kent hier alles en iedereen.

Izak blijft gebiologeerd staan kijken, er is zoveel te zien, hij kan zijn blik niet van het uitzicht losmaken, de grote boten de kleine, de vogels in de lucht, op het water, hij ziet zo veel hij ziet ze niet eens. In het felle, verslindende licht dat alles uitwist. Hij staat zo lang naar de zee te staren dat hij vanzelf land begint te zien. Het is heel ver, maar hij ziet het echt, dacht hij, het is geen spiegeling van het water. Betoel! een streepje land. Is dat Negeri Belanda? daar in de verte. Hij wil het vragen, maar Wong is weg, hij staat verderop met een Javaan in een donkerblauw uniform te smoezen te tawarren.

Kom, mimiekt Wong terwijl hij tegelijk de donkerblauwe aan het lijntje houdt, kom erbij staan.

Negeri Belanda, zegt Izak. Helemaal aan het einde van de zee, waar de lucht begint.

Nee, zegt Wong, daarginds, dat is het eiland Madoera, daar is het niet pluis. Negeri Belanda is aan de andere kant van de aardbol, aan de koude kant, waar de zon niet goed kan komen. Daar schijnt hoofdzakelijk de maan, hij is van zilver daar, net als in Negeri Djerman trouwens.

Tegelijkertijd knipoogt hij naar de man met wie hij smoest, hij lacht, de vreemde man, de Javaan, met lange gele tanden lacht hij Izak uit.

Wong zoekt in zijn zakken, betaalt hem een hele roepiah, hij drukt de zilveren munt met zijn duim in diens handpalm, waar hij blijft plakken, Izak ziet het wel! hij heeft het gezien.

Kom, zegt Wong met een hoofdknik tegen Izak, we moeten verder.

Kent hij hier iedereen? Hij weet precies de weg hier in de haven van Tandjoeng Perak, hij groet groepjes werklui, uniformdragers, het is of hij hier thuis is. Kennen ze Masta Pelmasta Wong hier allemaal? Is hij voor hen de bekende concertpianist? veelgevraagd virtuoos, op uitnodiging de zeeën bevarend, altijd onderweg naar het volgende applaus, in de tussentijd op het wandeldek der 1e Klasse in de blauwe windstilte aan een sigaretje trekkend – terwijl beneden in het laadruim de Bösendorfer in stro verpakt met waaibomenhout omtimmerd vergeten wacht op vliegensvlugge tovervingers die de wonderklanken loshameren, te voorschijn strelen, wakker pingelen vanonder het verdroomde ivoor.

Ook hier, op de kade, gedraagt hij zich als een reiziger der 1e Klasse, hij loopt niet, hij promeneert, hij schiet zijn sigarettenpeuk zonder te kijken tussen duim en wijsvinger in het onverschillige water. Haast heeft hij niet, hij lijkt te weten wat er komen gaat, zijn stappen zijn noten hij leest ze van blad.

)(

De piano's worden op Pangkalan Barat in de termijnopslag bewaard, maar de meeste zijn al ingescheept zeggen ze, de cognossementen zijn in de vorige oorlog helaas kwijtgeraakt, we zullen erop moeten vertrouwen, de afvaart van het m.s. Hollander staat geboekt voor morgen vroeg, dus dat gaat lukken. Jouw njonja Alma heb ik op de passagierslijst niet teruggevonden, reist zij onder een andere naam, weet jij dat? Nee, ik denk niet dat zij met een ander schip... de reguliere lijndiensten zijn opgeheven, je mag blij zijn dat er zo'n boeta naar Negeri Belanda vertrekt, de meeste liggen in het donker op de bodem van de zee, de vissen zwemmen in en uit, er zijn veel legers op de been, zij knallen zij bombarderen zij torpederen, er blijft dan weinig drijven, dat is bekend.

Heeft njonja ook een andere naam? Izak begrijpt het niet. Dat heeft ze nooit verteld. Een andere naam voor als zij ergens anders is, beweert Wong, dat komt vaker voor. Izak denkt: dus niemand die weet dat zij njonja is. Herinnert zij zich zelf nog dat zij njonja is? kent zij de belofte nog?

Zij heeft mij beloofd, zegt hij, hij zegt het zo zachtjes dat het niet kan worden verstaan.

Masta wil hem helpen, hem troosten of zo. In het rugzakje heb ik een partituur gedaan, zegt hij, ik geloof de *Waldszenen* van Tjoemah. Dan heb je onderweg tenminste iets te lezen.

Hij begint achter Izaks rug te sjorren te hannesen, hij trekt een plat schrift te voorschijn. Ja, het zijn de *Waldszenen*, dat dacht ik al. Het is gekreukt, ziet hij nu, tot zijn ergernis, hij strijkt over de kreukels, ze gaan niet weg. Ze gaan niet weg, zegt hij.

Hij hurkt naast Izak, slaat het schrift open. Kijk, hier staat muziek geschreven, Masta Tjoemah heeft het in Djerman geschreven, hij heeft het in de stilte opgeborgen om te bewaren, met zijn zwarte pen heeft hij dat heel netjes gedaan, zonder vlekken ja, dat heb je goed gezien.

Izak wil het leren, maar het is te moeilijk, hij weet niet wat Masta Pelmasta Wong bedoelt, hij verstaat hem wel, maar hij verstaat hem niet.

Kijk zelf maar, zegt de hurkende meester, het meeste van het papier is wit. Dat is niet voor niks. Muziek, dat is stilte, het is stilte waar hier en daar geluid is aangebracht, heel precies, nee echt niet zomaar hoor. Zie de zwarte bolletjes, de streepjes, het is de kunst te weten waar ze moeten staan. Het goede geluid te vinden, te treffen. Er zijn veel slechte, lelijke geluiden, wij, de Masta's en Pelmasta's van Djerman, zoeken de zuivere, de juiste tonen, wij sluiten ons af voor het lawaai.

Het gaat om het wit, zegt Wong, hij is gaan staan, hij maakt nu brede dirigentengebaren. Het wit, zegt hij, hij wijst zomaar wat in wilde weg, daarin te verdwalen te verdwijnen ja! en dan de tekens te vinden die de Masta Djerman voor ons heeft gezet, daar gaat het om! ja het gaat erom in de witte sneeuw het spoor te volgen, voorzichtig je voeten te plaatsen in de voetstappen van hem die ons in de stilte is voorgegaan, ja hij is ons al ver vooruit, zelf is hij niet eens een stipje meer.

De bladmuziek ligt ondertussen op de havenkeitjes, een zuchtje wind bladert er verveeld doorheen. Masta Pelmasta Wong kent dat alles uit zijn hoofd, hij hoeft het niet meer in te zien. Izak weet niet of hij het schrift zelf op mag rapen, hij kijkt hoe het zuchtje wind een bepaalde bladzijde steeds maar weer oppakt en teruglegt, oppakt en teruglegt.

Ze lopen en lopen tot er niemand meer is in het verblindende wit van de middagzon, ze gaan tot het einde van de kade, ze komen op een pier. Het ruikt er naar touw en gesmolten teer. Aan beide zijden is nu zee en ook aan het einde is de zee, het is schroeiheet, de pier trilt in de verte, het vaste wordt daar vloeibaar, vermoedt Izak, het laatste puntje van het land lijkt al te verdampen, op te gaan in de lucht.

Kunnen we wel lopen daar? hij vertrouwt het niet. Gaan zij niet verdampen daar? zoals djinns die wegfloepen als niemand het ziet.

Hij begint het benauwd te krijgen in zijn geleende Duitse muziekpakje, de rugzak plakt tegen zijn rug, de banden van zijn geitenleren korte broek knellen om zijn schouders, hij zweet onder zijn oksels, tussen zijn billen, het kriebelt in zijn haren.

Masta Pelmasta heeft nergens last van, hij doet zijn jasje niet uit, hij rolt zijn mouwen niet op.

Daar! zegt Masta, aan het puntje wacht de pakketboot, maar Izak ziet niks, er is alleen de smeltende verdampende verte. Hij gaat jou naar de rede brengen buitengaats, het m.s. Hollander is te groot voor de haven, vandaar, zijn kiel ligt te diep. Vanwege zijn diepte kan hij nergens binnenlopen, hij is gedoemd op open zee te blijven deze boeta, nooit bereikt hij vaste wal.

Ze horen hun voeten klossen op de plankieren, het is stokoud, vergeten hout, zeezout heeft het uitgeloogd, voeten die er niet meer zijn hebben het ingesleten, verzwolgen zijn ze, op boten gestapt weggevaren, het kan niemand wat schelen, beneden tegen de palen dobbert afval, het stinkt naar aangespoelde kwallen, dooie zeepaardjes, de golfslag duwt en duwt, maar het gaat niet weg.

Zie je 'm al? daar, daar voor je neus. Izak ziet nog steeds niks. Geeft niks, ik zie 'm wel, zegt Masta, ik vaar met je mee, ik breng je naar het grote schip.

〉〈

De pakketboot scheurt meteen weg. Heeft hij dan speciaal op hen liggen wachten? De bootsman laat zich niet zien, de ruitjes van de stuurhut zijn vervuild door de vette dieseldampen, ze slaan uit de korte dikke schoorsteenpijp meteen neer, op het dek op het dak van de roef, het slaat op hun keel. Masta houdt van roken, maar dit vindt hij te vies, hij schuift een luik opzij en duwt Izak voor zich uit de benauwde laadruimte in.

Binnen steekt hij meteen een sigaret op, even frisse lucht zegt hij.

Ze zijn de enige opvarenden.

Het is jammer dat je niet lekker naar buiten kunt koekeloeren, zegt Masta. Hoe verder je wegvaart des te beter kun je het land zien liggen, dat is zoiets moois, je ziet het duidelijker dan je het ooit hebt gezien, je kijkt en je kijkt, je kijkt je ogen uit – tot je het opeens niet meer ziet.

Izak ontdekt een raampje. Hij probeert een gaatje in het vuil te vegen, het lukt niet, de smeer zit aan de buitenkant.

Het land is weg, denk je misschien, maar dat is niet waar, het is gewoon ergens anders heen gegaan, het is vertrokken naar een plek die, als ik mij goed herinner, in Djerman 'gedeknis' wordt genoemd, je hoeft nooit de weg te vragen, zeggen ze in Ulm, de herinneringen brengen je er vanzelf heen. Ze komen als je niet kunt slapen, weet je, ze wachten tot het donker wordt, ze zeggen ik weet ergens iets te liggen wat jou bekend zal zijn jongen, iets wat jij met je eigen ogen zelf het beste weet.

Izak luistert naar het tuffen het ploffen van de motor, het stijgen en dalen van de pratende stem, hij voelt de houten bank de leuning trillen, hij voelt de golfslag onder de brede platte bodem, het klotst helemaal door tot in zijn hoofd in zijn maag, zijn vingertoppen tintelen.

Hij denkt aan het grote schip, hij durft niets te vragen, Masta heeft zoveel gezegd, hij heeft het alleen niet verstaan. Is njonja ook aan boord daar? de piano is er al, dat is zeker, dat heeft hij wél goed gehoord, toch? gelukkig heeft hij het plaatje bij zich, daar staat de naam op geschreven, de piano heeft een naam, Pejel heet hij, hij kan de foto laten zien, ze zullen de naam lezen, hij kan het zelf niet, hij kon het vroeger, toen het geen oorlog was, op de Ambonsche School o ja naast de tangsi kon hij letters lezen woorden lezen schrijven ook, nu is hij het vergeten, jammer hoor. Nu moet hij ze horen, hij moet de woorden horen. Als hij luistert ja, anders niet, als hij geen zin heeft, hoort hij alleen het geluid.

Njonja zal wel moe zijn, ze is zo lang weggeweest. Hij weet niet goed meer hoe hij aan haar moet denken, hij weet alleen nog precies dat hij haar mist, helemaal leeg is hij ervan. Hij wil voor haar zorgen, dat wil hij, hij haalt haar bril, hij pakt haar boek, zulke dingen doet hij graag. Er zijn daar ligstoelen, nu verstaat hij Masta eindelijk, op het dek der 1e Klasse, daar kun je heerlijk de benen strekken en achterover leunen, een koelie draagt je koffers een djongos schenkt de thee, de kopjes zijn van porselein, fijn als eierschaal, ze breken als je niet voorzichtig bent. Ja, eten brengt de djongos ook, zoveel

als je wilt. Maar jij reist 4e Klasse, dat weet je toch? daar beneden is het misschien iets anders, dat weet ik niet precies, je
moet maar zien. Zo'n groot schip is een stad op zich, een wereld op zichzelf, ik weet bijvoorbeeld dat er daar zelfs concer-
ten worden gegeven, goed dat ik het zeg, ik zal 'ns vragen wie
er speelt.

※

Ze hijsen hem aan een touw langs de steile scheepswand omhoog, hij ruikt het teer de dieselolie, de hitte brandt van het
reusachtige ijzeren schip, de lucht is te heet om te ademen.
Masta Pelmasta Wong staat beneden te zwaaien, selamat djalan! de groeten aan Holland! Izak ziet hem hij ziet hem niet,
het touw snijdt in zijn handpalmen, de diepte duizelt onder
hem weg, alles beweegt, het touw slingert, het bootje in de
diepte dobbert het zeewater golft het klotst tegen de scheepswand.

Boven, in het gangboord, laten ze hem meteen door, hij
hoeft niets te laten zien, geen reisdocument geen passagiers-
biljet geen geld niks. In de buik moet je zijn, zeggen ze, je
moet daar en daar naar binnen. Hij verstaat het niet, wil opnieuw vragen, maar de matrozen zijn al verdwenen.

Zou Masta – ? Hij wil over de reling naar beneden turen,
maar een groepje koelies met tassen dozen koffers dat eraan
komt, wil erlangs, hij gaat opzij, hij stapt achteruit, niet snel
genoeg, hij moet met hen mee, ze dwingen hem niet, dat

niet, hij loopt zelf met hen mee, het gaat niet anders, hij kan niet meer terug. Terug? waarheen is dat? Er wordt een roestige ijzeren deur geopend, ze komen bij een trap, de kluwen mensen tassen koffers dozen gaat naar boven. Jij niet, wordt er gezegd, jij moet beneden zijn, in het ruim in de buik van de boeta.

Maar njonja – ? begint hij. Waar kan hij haar vinden hier? Er is een dek er zijn daar ligstoelen, je kunt er heerlijk je benen strekken, zegt Masta Pelmasta Wong, er zijn daar toekangs en koelies, zij schenken thee in eierschalen, er is daar een pianist maar niemand weet wie, hij speelt Betopi uit een heel groot boek, maar niemand slaat de bladzijden om, want er is geen boebi die kan lezen, de pianist heeft zijn handen hard nodig om de muziek te pakken te krijgen, zonder handen gaat dat niet, dat is bekend. Wat niet wordt aangeraakt, wordt niet gehoord.

De koelies knikken, zij begrijpen het probleem, knikkend lopen zij naar boven, met hun dozen hun dingen, zij wensen hem geluk, wij hebben nu geen tijd, maar jij gelukkig wel, selamat siang jongen! wij gaan door.

De trap loopt steil naar beneden, hij is van hout en van ijzer, het is donker je moet voorzichtig met je voeten de treden vinden, met je hand de leuning vasthouden. Niet te diep kijken! maar dat gaat ook niet, het is te donker daar beneden, het heldere doorschijnende licht is boven, het blijft liever buiten, waar het kan ademen, het laat zich niet opsluiten, het moet eruit kunnen.

Als hij het donker in de diepte heeft bereikt, blijkt hij terecht te zijn gekomen in een gangenstelsel met overal alkoven en nissen. Het is het midonder, hier worden de goederen opgeslagen: touwen, blikken, kratten, vaten, dozen, maar ook mensen. Ook zij zijn opslag, ze liggen in nissen die in de wanden zijn uitgespaard, het lijken kastplanken waar ze zijn opgestapeld. Zijn ze ziek? of dood misschien? nee, ze ademen nog, ze hoesten ze roken, maar ze liggen vooral, ze liggen daar te liggen.

Hij denkt: het is zo krap, hier past toch geen piano in? en zeker niet zo'n mooie grote als njonja haar Pejel. Ik ben hier verkeerd toch zeker? hij gaat het vragen, maar niemand weet 't, hier weet niemand iets, ze halen hun schouders op ze hoesten ze spugen op de grond. Hij durft de kalenderplaat uit Ulm niet te laten zien, hij is bang dat ze hem afpakken, je weet het nooit, als ze tussen hun eigen voeten spugen kunnen ze ook stelen, zo zijn ze als het donker is.

Iemand vraagt: waar is jouw bagage? Heb ik niet. Izak durft niet om te kijken. Er wordt aan zijn rugzak gefriemeld, de klep wordt opengemaakt. Niet doen! schreeuwt hij, hij draait zich om. Het is er een uit de nissen, een zieke of een dode, zijn hand is van botjes, zijn huid dun en schrompelig als apenleer.

Wat ga jij eten als je niets hebt meegenomen? zegt de stem, toonloos, een voortpruttelende radio, iemand heeft vergeten de knop goed dicht te draaien. Of ga jij vliegende vissen eten die uit de zee zomaar in jouw mondje springen? Tidak, toean, zegt Izak, zo beleefd als hij kan, nee meneer. En waar ga jij 's avonds liggen? Heb jij al een brits gevonden? Tahoe tidak, toean. Weet niet meneer.

Dan brult er alarmerend getoeter door de gangen, er ontstaat gestamp van voeten, geroep, iemand moet erlangs, nog iemand, wat gebeurt er allemaal? De boeta gaat varen, zegt de stem, de zee gaat bewegen, het land gaat ons vergeten.

Er rennen mensen de trap op, ze vragen: moet jij niet boven buiten over de reling hangen? we gaan ver weg zijn, hoor, wil je niet zwaaien? Hij gaat mee, met de anderen, tussen donkere ruggen, lichamen en benen, overal benen, klautert hij struikelt hij mee naar boven toe.

Naar het licht; het prikt, hij knippert met zijn oogleden, hij weert het schelle schetterlicht af met zijn hand, het is een gedrang in de gangboorden, ze roepen, ze draaien zich om naar elkaar, waar blijf je? Hij baant zich een pad tussen de benen, zijn rode rugzakje blijft haken, overal staan piepels, hij moet duwen en trekken om bij de reling te komen, hij kruipt ertussendoor, hij maakt zich zo klein als hij kan.

En dan gaat het uitzicht eindelijk open.

Beneden, vlak onder zich, ziet hij prauwen, schrale gestalten wachten af, ineengedoken als pelikanen, verderop op het zilveren water hebben de brikken de barken hun zeilen gereefd, alles ligt stil in afwachting. Aan boord is het een drukte van jewelste, maar de loerende stilte rondom ligt klaar om het allemaal op te slokken.

De passagiers merken het niet, zij zwaaien zij zwaaien –

naar wie eigenlijk? ze bulken met z'n allen over de relingen, ze drukken hun neuzen tegen de patrijspoorten.

Is de pakketboot van Masta er nog? Hij ziet hem niet.

Heeft hij niet opgelet? ineens ziet hij hoe het uitzicht langzaam wegschuift, het schip blijft onbeweeglijk, maar alles rondom begint te verschuiven en te verglijden, het lijkt of hij begint te vallen, hij valt en hij valt, selamat tinggal! roept iemand daarboven, iemand anders begint te huilen te jammeren, adoeh kasihan, ze gaan ons vergeten ze gaan ons vergeten.

Hij wil aan njonja denken, maar om zichzelf te kunnen geloven moet hij haar naam hardop zeggen, njonja zegt hij, njonja Alma. Ja jongen, vraagt ze, een beetje verstrooid, ze kijkt op van haar boek. Maar hij weet niet wat hij haar wil vragen, hij weet het niet meteen. Straks, als hij haar gevonden heeft, zal hij zich het wel weer herinneren. In de vreemde broek in de onbekende zak tast hij naar de sleutel. Beneden in de buik wacht de Pejel, verpakt in stro en waaibomenhout. Hij probeert aan de piano te denken, het lukt het beste als hij aan de mooie kalenderfoto uit Djerman denkt.

Selamat djalan! wordt er geroepen in de drukte boven hem, selamat tinggal! goede reis, allemaal, het ga jullie goed, vaarwel. Izak voelt de geëmotioneerde knieën de scheenbenen tegen zijn rug, dadelijk drukken ze hem tussen de spijlen door plons! het zeewater in; dan is hij dood als een dinges, hij kan niet zwemmen hoor. Niet zo duwen, zegt hij, hij zegt het een beetje zachtjes, want hij weet eigenlijk al dat niemand hem hoort.

NASCHRIFT

*Jaren later, hij was toen juist docent maatschappijleer ge-
worden, heeft hij haar nog een keer zien lopen. In Overveen
was het, waar hij verder niets te zoeken had. Ze wandelde
aan de arm van een bleke heer, die met zorg een paraplu boven
haar hoofd hield, ofschoon het niet regende. In het voorbijgaan
keek ze hem aan, maar ze zag hem niet. Ze nam alleen iets
'Indisch' waar, dat haar weemoedig deed glimlachen. Was
het njonja Alma wel? Haar ogen waren zo grijzig geworden.
Hij wilde tot haar doordringen, maar haar blik bleef dof als
beslagen glas.*

*Op een afstandje is hij hen gevolgd, hij heeft hen ergens bin-
nen zien gaan, een vrijstaand huis met een heggetje eromheen.
Hij is een tijdje blijven kijken, misschien ook om te zien of er
binnen een piano stond. Het glas spiegelde te sterk, hij kreeg
geen beeld. En gewoon aanbellen, daar kwam het niet van.*

*Voor de zekerheid heeft hij het adres opgeschreven, dat wel.
Hij heeft het nog steeds.*

WOORDENLIJST MALEIS (oude spelling)

Aboru (nieuwe spelling) · desa
op het Molukse eiland Haruku

ada apa · wat is er

adoeh · ach

alang-alang · hoog rietgras

ampoen · genade

anak · kind

anak mas · lievelingskind

ari · gifslang

awas · pas op

baik sekali · goed idee

banjak · veel

baoe · geur; stank

bapa(k) · vader

Batak · volk op Sumatra

behasa · taal

Belanda · Nederlander

beres · in orde, oké

berhenti · halt

bersiap · wees gereed (lett.),
strijdkreet uit de Indonesische
Onafhankelijkheidsoorlog

besar · groot, machtig

betjak · fietstaxi

betoel · echt waar

bilik · wandje van
gevlochten riet

biola · viool

bodoh · dom

boeah kelapa · kokosnoot

boedak · knecht, loopjongen

boediman · verstandig, wijs

boeroeng · vogel

boesoek · bedorven

boeta · reus

bonang · liggende gong

desa · dorp, dorpsgemeenschap

di mana · van waar, waarvandaan

djati · teakhout

Djawa · Java

djengkol · vrucht

Djepang · Japan

Djerman · Duitsland

djeroek peroet · citrusvrucht

djoerang · ravijn
djongos · bediende
doea · twee
doerian · vrucht
engkau · jij
gadoeh · drukte
gedek · wand van gevlochten
bamboe
gila · gek, raar
goegoep · nerveuze verward-
heid
goena-goena · toverkracht
Haruku (nieuwe spelling) ·
eilandje bij Ambon
hitam · zwart
hoedjan · regen
hormat · respect
iboe · moeder
kadang-kadang · af en toe
kafir · heiden, ongelovige
kain kepala · hoofddoek
kaki · voet
kali · rivier
kampong · woonwijk
kantjil · dwerghert
kasihan · medelijden
katjang · pinda's
keboesoekan · bederf
keloearga · familie
ke mana · waarheen
ke mari · hierheen, naar ons

kendang · tweezijdig bespannen
trommel
kepala · hoofd
kepedisan · te heet, te scherp
(van pedis)
k(e)ris poesaka · geërfde kris
(dolk) waaraan krachten
worden toegekend
ketimoes · gestoomde lekkernij
in pisangblad
ketipoeng · kleine trommel
ketjil · klein
klewang · kort zwaard
koe · van akoe, ik
kolong · holte, kruipruimte
kota · stad
kraton · paleis
kretek · sigaret met kruidnagelen
lagi · meer
lapar · honger
lapis · koek in laagjes (eig. kwee
lapis)
lemper · gekruid vlees in kleefrijst gerold
lontong · rijstblokjes
madjenoen · knettergek
Maluku (nieuwe spelling) ·
Molukken, Molukker,
Moluks
makan · eten

mandi · baden, d.w.z. zich af-
spoelen met water

mas · gouden (Javaans), zie ook
bij *anak*

mata gelap · razend (lett. duister
oog)

mati · dood

mati mampoes · morsdood

menenangan · kalmeren, bedaren

menendang · stampen, trappen

mengor mati · eren

monjet · aap

motor g(e)robak · vrachtwagen

nakal · deugniet

nasi poetih · witte rijst

negeri · land, plaats

Negeri Belanda · Nederland

nenèk-mojang · voorouders

njonja · mevrouw

oelar · slang

oelekan · stamper (voor vijzel)

orang · mens, man

pa(k) · oompje, vadertje

pagi hari · 's morgens vroeg

panggan · geroosterd

pasar · markt

patroli · patrouille

Pattimura · Molukse volksheld

pedis · scherp

pela · broederverbond (Moluks
begrip)

pelopor · Javaanse opstandeling

pemoeda · jonge revolutionair

perang · oorlog

pergoenoengan · gebergte

peroet · buik

petjoh · Nederlands-Indisch
dialect

pikoelan · juk

plan-plan · (eig. *pelan-pelan*)
rustig aan

poetih · wit

pondok · hut, huisje

porak-peranda · in de war

pulau · eiland

radja · koning, prins

reda · rustig maar

sajang · jammer

santen · klappermelk

saroeng · schede, koker

saron · een soort kleine xylofoon

satoe · één

sawah · rijstveld

sedap · lekker

sedih · verdrietig

selamat · gegroet

selamat djalan · goede reis

selamat makan · eet smakelijk

selamat pagi hari · goedemorgen

selamat tinggal · vaarwel

semoea · allemaal

senang · tevreden

sepala-pala- geheel en al
sereh · citroengras
Setaas Sepoor · Staatsspoorwegen (petjoh)
silakan · alstublieft
sinjo · Europese jongeheer (petjoh)
soedah · genoeg
soekoe · stuiver
soeling · bamboefluit
soesah · verdriet, gedoe
soesoehoenan · sultan
ta'boleh · hoe kom je erbij
tanggoeng · natuurlijk, zeker
tangsi · kazerne
tawar · afdingen, pingelen
teka teki · raadsel
telpon · telefoon
tentoe · zeker, natuurlijk
terasi · gedroogde, gestampte garnalen
terima kasih · bedankt
terkoetoek · vervloekt
tidak · nee, niet
tidak apa-apa · niets
tidoer · slapen

tiga · drie
tikar · slaapmatje
tjagak · katapult
tjampah · onsmakelijk
tjelaka · toestand, herrie
tjenkeh · kruidnagel
tjetjak · hagedis
tjobèk · vijzel
tjoeli · keurslijf
tjoeri-tjoeri · stiekem
tjoes · zoef
tjutju (nieuwe spelling) · kleinkind
toean · heer, meester
Toehan · God
toekang betjak · berijder van een fietstaxi
toempah · gemorst
tombakan · spiezen, steken
totok · westerling
wadjan · wok
wadji · soort zoete rijst
wajang poerwa · oudste Javaanse schimmenspel
waringin · ficus benjamina
waroeng · eetstalletje